Roberto Justus

CONSTRUINDO UMA VIDA

Trajetória profissional, negócios e *O Aprendiz*

Roberto Justus

CONSTRUINDO UMA VIDA

Trajetória profissional, negócios e *O Aprendiz*

com Sérgio Augusto de Andrade

LAROUSSE

Direção editorial **Soraia Luana Reis**
Editor assistente **Isney Savoy**
Revisão **Maria Aiko Nishijima**, **Isabel Fernandes** e **Cláudia Levy**
Capa e projeto gráfico **Tomas Lorente**
Diagramação **Tomas Lorente** e **Enio Kawahara**
Foto **Chico Audi**
Gerente de produção **Fernando Borsetti**

Dados Internacionais de Catalogação na Publicação (CIP)
(Câmara Brasileira do Livro, SP, Brasil)

Justus, Roberto
Construindo uma vida: trajetória profissional, negócios e *O Aprendiz* / Roberto Justus, Sérgio Augusto de Andrade. -- São Paulo: Laurosse do Brasil, 2006.

ISBN 978-85-7635-154-2

1. Executivos - Brasil - Biografia 2. Justus, Roberto I. Andrade, Sérgio Augusto de. II. Título.

06-4487 CDD-926.6081

Índice para catálogo sistemático:
Empresários brasileiros: Biografia 926.6081

1ª edição brasileira: 2006
9ª reimpressão: 2009

Direitos de edição em língua portuguesa, para o Brasil, adquiridos por Larousse do Brasil Participações Ltda.
Av. Profa. Ida Kolb, 551 - 3º andar - São Paulo/SP - CEP 02518 000
Telefone (11) 3855 2290 - Fax (11) 3855 2280
E-mail: info@larousse.com.br - Site: www.larousse.com.br

PREFÁCIO

Da primeira agência, que fundou em 1981, à posição de CEO de um grupo de comunicação integrada que brilha no ranking dos maiores e mais respeitados do mercado, Roberto Justus é um profissional cuja história se insere nos mais expressivos capítulos da propaganda no Brasil. Nesta obra, ele relata sua trajetória, levando o leitor a uma viagem pelo universo das agências que presidiu e das experiências que teve. Tudo pontuado por relatos de casos, passagens curiosas e saborosos comentários sobre incidentes e aprendizados. A vida profissional de Roberto Justus é feita de um conjunto de sucessos e de igual dose de desafios – dois elementos que, para ele, acabam se fundindo. Justus é um mestre na arte de criar sucessos a partir das dificuldades e das situações adversas; de achar caminhos inovadores e segui-los com garra e paixão para colher conquistas.

É aí que está o maior encanto deste livro e o que o torna atraente não apenas aos leitores mais familiarizados com o universo da propaganda e dos negócios ou, ainda, àquela legião de fãs que ele cativou à frente do programa *O Aprendiz* e que querem saber mais sobre o "chefe". A história profissional de Justus é uma lição prática de liderança e empreendedorismo. São temas que interessam a pessoas de diferentes perfis e áreas de atividade – dos jovens que se preparam para mergulhar no mundo das corporações àqueles que já acumulam longa experiência nesse terreno.

A construção do sucesso de sua primeira agência, a decisão de afastar-se dela 18 anos depois, a nova empreitada iniciada após os 40 anos de idade, a corajosa reestruturação da Young & Rubicam (a maior agência de seu grupo), a disposição para encarar o novo, enfrentando as câmeras de TV em *O Aprendiz* são vivências que Justus partilha com o leitor em *Construindo uma Vida*. São histórias reveladoras sobre o que constitui o DNA de um empreendedor: talento próprio e capacidade para reunir e desenvolver outros talentos, paixão pelo que faz, coragem para ousar e correr riscos, uma boa carga de energia visionária e muita garra para fazer acontecer.

Roberto Oliveira de Lima

Agradeço ao editor Miguel de Almeida, que foi a primeira pessoa a me incentivar a escrever sobre minha trajetória profissional e quem deu início ao trabalho de compilação de informações e organização do material utilizado no livro.

Dedico este livro a meu pai, Janos,
que sempre foi meu exemplo por sua ética e determinação;

Aos meus filhos, Ricardo, Fabiana e Luíza, pela paciência durante minhas frequentes ausências devido à minha carga de trabalho;

À minha mulher, Ticiane, que tanto me inspira e que está sempre ao meu lado;

E principalmente àquela que sempre acreditou em mim e me incentivou em todos os momentos, mesmo nos mais difíceis, e que hoje, tenho certeza, continua olhando por mim esteja onde estiver: Lidia Justus.

Quem é jovem costuma acreditar que pode perfeitamente construir alguma ponte até a lua, ou erguer o mais suntuoso palácio ou o mais grandioso templo na Terra. Quando se chega à meia-idade, é bem mais fácil utilizar o mesmo material com o qual se faria uma ponte, um palácio ou um templo para se construir a mais sólida cabana.

Henry David Thoreau

Não se constrói uma reputação com o que ainda não foi feito.

Henry Ford

SUMÁRIO

Paris 1948 — *17*

O início — *25*

A carreira: primeiros desdobramentos — *49*

Administração, negócios e criatividade — *59*

- A agência ideal — *61*
- Uma proporção valiosa: 10-60-20-10 — *62*
- A importância das consultorias — *65*
- O profissional certo no lugar certo — *68*
- Métodos de administração — *70*
- Vida pessoal e vida profissional — *71*
- Ambiente de trabalho — *74*
- A coragem de mudar — *78*
- A importância da informação — *82*
- Formas de sucessão — *87*
- Um patrimônio — *89*
- Três tipos de planos — *89*
- Dois tipos de círculos — *90*
- Administrando gente — *90*
- Administrando projetos — *92*
- Fazendo contas — *93*

Uma qualidade fundamental: a franqueza *96*

Um caso exemplar: as Casas Bahia *97*

Alguns problemas *110*

Dez sugestões para quem pretende formar uma sociedade *112*

Um exercício essencial *116*

Prestígio da criação *117*

Princípios pessoais de administração *118*

Alguns clichês clássicos sobre publicidade *119*

Administrando finanças *121*

Visão da totalidade: liderança, planejamento e negócios *123*

Contrapartes e cuidados na liderança *126*

Vida pessoal e negócios *129*

O Aprendiz *145*

Justismos – primeira temporada *163*

Justismos – segunda temporada *167*

O Intangível *177*

Algumas recomendações e referências *189*

Outros dados de *O Aprendiz* *225*

PARIS 1948

As pessoas costumam me elogiar ou me criticar como um grande construtor de imagem, um grande construtor de marcas, um grande construtor de relações e um grande construtor de negócios, mas muito pouca gente sabe que, quando comecei, eu comecei construindo prédios mesmo.

A bem da verdade, nem isso: eu comecei seguindo o dia-a-dia e aprendendo a trabalhar na empresa de construção civil de meu pai. Foi um período precioso.

A história vem de longe: vem da Hungria, vem da França e vem de um grito ouvido numa travessa da Avenue des Champs Elysées há mais de cinqüenta anos. Era 1948 e meu pai caminhava por Paris, no meio da tarde.

Ele tinha fugido da Hungria ao perceber que, mesmo após o fim da guerra, os russos continuavam ocupando Budapeste. Com apenas 30 anos, ele era dono de uma das maiores construtoras do país. 'Chega', ele desabafou à família.

E abandonou tudo – conseguiu dinheiro emprestado com um tio e partiu para a França junto com minha mãe, Lidia, minha avó materna, Helena e minha irmã mais velha, Julianne.

A atmosfera política e todas as circunstâncias que envolveram sua fuga continuavam, naturalmente, muito perigosas – motivos que levaram meu pai a combinar uma forma singular mas muito prudente de pagamento por seu transporte até Paris. Ele combinou com um russo para que os levassem sob a lona de seu caminhão até Viena. E deixou acertado que só os primeiros 50% do valor combinado seriam pagos – a outra metade só seria recebida se ele pudesse garantir ao máximo sua segurança e a de sua família durante a viagem.

Por isso, acertou que, se tudo corresse bem, ele entregaria metade da página de uma revista ao russo que o tinha transportado. O russo voltaria com metade dessa página à Budapeste e a entregaria a seu irmão, que mantinha a outra metade consigo – e que, após recebê-la, completaria o pagamento.

As duas metades dessa revista representavam ao mesmo tempo uma senha, o código para um pagamento e principalmente uma garantia. Meu pai e sua família chegaram em segurança à França.

Seu plano original era mudar para os Estados Unidos. Mas, saturados de refugiados europeus desde 1945, os americanos não estavam mais aceitando praticamente nenhum tipo de imigrante em 1948. Meu pai decidiu ficar em Paris até decidir o que fazer.

Foi então que, passando por uma travessa perto do Consulado Brasileiro, meu pai ouviu alguém gritar.

'Engenheiros!', dizia a voz. Meu pai se virou e viu uma fila. 'Médicos! Dentistas!', a voz continuava, aos brados. Quando se aproximou um pouco mais, por pura curiosidade, ele percebeu que quem gritava era um funcionário do consulado. O Brasil estava precisando de pessoal qualificado – e, por isso, oferecia vistos para quem quisesse trabalhar. 'Agrônomos!', continuava o funcionário. E repetiu – como se estivesse reiterando uma sugestão ou um convite: 'Engenheiros!'.

O Brasil era uma referência vaga e distante; algo completamente fora do universo, dos padrões e dos planos de meu pai – não só porque ele não falava nenhuma palavra em português, mas também pelo clima, pela distância e pelo fato de que ele não conhecia nada sobre o país.

Permanecer na Europa, por outro lado, começava a ficar cada vez mais difícil – e arriscado. O funcionário do consulado continuava gritando; meu pai entrou na fila. Dias depois embarcou num cargueiro para o Rio de Janeiro.

Quando chegou, ainda tinha parte do dinheiro que havia emprestado, mas mesmo assim começou logo a trabalhar.

Como todo começo, o seu também não foi fácil. Na Hungria, ele era um engenheiro de prestígio. Aqui, começou consertando geladeiras.

Em 1952, já em São Paulo, meu pai acabaria montando uma nova construtora em sociedade com Lucas Nogueira Garcez, que viria a se tornar posteriormente governador de São Paulo. Foi uma construtora que se transformaria numa das dez maiores do Brasil. Um ano depois, nascia minha irmã Catarina. Nasci em 1955, na Maternidade Pró-Matre, em São Paulo.

Meu pai sempre torceu muito para que eu fosse trabalhar em seu escritório. Com o tempo, minha mãe começou a me perguntar – e a repetir a pergunta com uma frequência cada vez maior – se eu não iria trabalhar com ele. Ela sustentava, com razão, que para mim poderia ser uma experiência muito importante; uma experiência que me abriria novos horizontes. Meu pai concordou – e eu também.

Na época, aos 18 anos de idade, eu estudava de manhã. Não demorou muito para que começasse a sair da escola e, pouco depois, por volta das duas da tarde, me dirigir ao escritório. No fim do dia, às seis horas, eu costumava acompanhar suas últimas reuniões com clientes. Voltávamos para casa às oito.

Meu pai me fez passar por todos os departamentos da construtora. Trabalhei como *office-boy*, no depósito, passei pela contabilidade e fechei custos, até chegar ao departamento comercial. Eu me interessava muito pelo pessoal da concorrência, que montava as estratégias da empresa.

'Concorrência' – eu ainda nem conhecia direito essa palavra.

O que eu mais queria, de qualquer modo, era conseguir entender a empresa em sua totalidade, departamento por departamento. Era inevitável que, na minha condição, os funcionários menos graduados acabassem me bajulando um pouco por ser o filho do dono.

E os mais graduados, por outro lado, muitas vezes me consideravam uma ameaça virtual (por ser, por hipótese, o herdeiro do negócio, eu seria também a pessoa que acabaria tendo o poder para eventualmente afastá-los da empresa).

A verdade é que, embora em pouco tempo eu realmente pudesse me tornar o diretor-geral, durante um bom período continuei sendo só o filho-geral. Não era uma situação agradável.

Um acontecimento de alguma importância, lembro-me bem, me marcou muito: o dia em que meu pai foi capa da revista *Construção Moderna*. Para mim, foi motivo de muito orgulho.

Eu sempre ficava imaginando que no futuro o que eu mais queria conquistar era justamente o mesmo tipo de prestígio e de admiração das pessoas – uma admiração que combinasse o respeito pela capacidade profissional com o reconhecimento por um trabalho socialmente relevante. A matéria sobre ele e a própria capa da revista atestavam que meu pai não era só respeitado por ser um grande profissional – mas por seu papel e sua função na comunidade. Era com esse tipo de respeito que eu também sonhava.

Mas o tempo ia passando e, fosse frequentando reuniões com fornecedores, clientes ou bancos, eu acabei aprendendo como se negociava. Foram boas lições – e ministradas por bons mestres.

Outra lição valiosa que se tornava cada vez mais clara era que não se deve fazer nada sem que se tenha um objetivo muito preciso, muito bem definido. E especialmente sem uma boa dose de concentração no que está sendo feito.

É muito comum, aliás, que as pessoas resolvam se dedicar a mais de uma ocupação e acabem perdendo o foco, a concentração – e, consequentemente, a qualidade do trabalho. Se eu fosse o filho mais velho, é provável que o futuro da construtora tivesse sido diferente. Eu era o caçula.

Com o tempo, meu pai começou a trabalhar com muita regularidade para o governo – o que era uma estratégia um pouco arriscada. A regularidade foi tanta – e o ritmo do trabalho tão intenso – que o governo acabou se tornando seu único cliente.

Mas os governos mudam. E muitas vezes não pagam como deveriam.

Já naquela época eu não conseguia enxergar com bons olhos a relação da iniciativa privada com o poder público. Desconfiava que, no fim das contas, era uma relação comercialmente desequilibrada, instável e muito arriscada. É curioso como o histórico da construtora de meu pai acabou se transformando numa boa prova dos riscos inevitáveis dessa relação.

Isso porque, ao longo de um período significativo e recente, a maioria das grandes construtoras optou por diversificar suas atividades: um grupo como a Odebrecht, por exemplo, controla hoje uma das maiores empresas da área petroquímica do Brasil.

Meu pai preferiu se concentrar em um único cliente, ao invés de aumentar seu leque de opções como fornecedor. Foi uma decisão duplamente arriscada – por limitar-se a um trabalho exclusivo e por oferecer essa forma de exclusividade justamente ao poder público. Uma decisão que teve seu preço.

Hoje meu pai é um homem de 86 anos, absolutamente lúcido e de uma inteligência muito ágil e viva. Mas é também um homem que se arrepende de não ter ousado mais. É um arrependimento que eu me prometi que nunca teria.

Mesmo começando a perceber tudo isso, eu considerava meu trabalho no escritório muito importante como aprendizado e experiência – e percebia que estudar de manhã e trabalhar até a noite representava uma boa disciplina de aprendizado, combinando a teoria e a prática de forma razoavelmente eficaz. Mas duas coisas me aborreciam.

A primeira era o fato de eu ser o filho do dono – algo que me dava tanto orgulho quanto desconforto.

A segunda é que eu achava tudo aquilo muito, muito chato.

Com isso, ficava difícil antever meu futuro profissional. Tudo se encaminhava para que eu me tornasse o grande herdeiro da construtora de meu pai.

Acabei num negócio – a publicidade – sobre o qual entendia tanto quanto entendia de construção (já que eu não era engenheiro).

Por outro lado, como administrador, era possível que eu eventualmente terminasse dirigindo alguma companhia de engenharia, trabalhando em conjunto com uma equipe de engenheiros. Acabei presidente de um grupo de comunicação – hoje, dirijo e trabalho em conjunto com uma grande equipe de publicitários.

O período em que trabalhei com meu pai foi, na verdade, meu primeiro e único emprego. Com 26 anos de idade, recém-casado, me tornei sócio de uma agência de publicidade e me transformei em meu próprio patrão.

Quando comparo meu estilo de dirigir uma empresa ao de meu pai, percebo que pelo menos três características nos unem muito.

Como meu pai, continuo muito exigente.

Como meu pai, continuo muito ético.

E – também como meu pai – continuo apaixonado pela ideia de construir.

O INÍCIO

A maioria das pessoas acredita que não existe coincidência – que tudo o que acontece conosco faz parte de um destino.

Para muita gente, por outro lado, não existe destino – tudo o que acontece conosco é sempre uma coincidência.

No meu caso, parece que o que aconteceu foi ao mesmo tempo uma coincidência e um destino. A coincidência foi um parentesco e uma vizinhança. O destino definiu minha profissão.

O parentesco era distante: minha irmã havia se casado com o primo do Eduardo Fischer.

A vizinhança era mais próxima: o Eduardo Fischer era um publicitário sem nenhuma experiência administrativa que estava procurando alguém que o ajudasse nessa área, e seu escritório ficava ao lado de um prédio que eu frequentava, onde funcionava uma empresa de pesca de minha família.

Com essa proximidade, nós acabávamos nos encontrando com alguma frequência. Um dia conversamos sobre a hipótese de nos tornarmos sócios.

Eu sempre havia me interessado por comunicação e publicidade. Certa vez, um amigo daquela época me chamou. 'Vão mostrar todos os comerciais que foram premiados no Clio num evento de propaganda e estou indo lá ver. Você não quer ir?' Eu fui.

Mesmo sem ser ainda publicitário, eu nunca mais perdi nenhuma exibição no Brasil do Clio – o festival americano de publicidade de maior prestígio no mundo antes que o de Cannes ganhasse as dimensões que acabou conquistando.

Meu sonho era explorar um tema que me parecia cada vez mais promissor: o das possibilidades de otimizar um trabalho eficaz na área da comunicação.

Além desse interesse natural por comunicação e propaganda, a oportunidade dessa associação com alguém que já era do ramo de publicidade havia surgido no momento certo: eu ficava cada vez mais insatisfeito com a minha função na construtora conforme ia me convencendo cada vez mais de minha vocação para o negócio da comunicação.

Como meu pai felizmente pôde me emprestar um capital – modesto, mas suficiente – para que eu iniciasse uma nova carreira, parti para o mercado.

O primeiro passo, como sempre, foi mais ou menos difícil – mas os primeiros passos só são realmente difíceis para quem tem medo do que é novo. Não era bem o meu caso.

O desenvolvimento do *marketing* como ferramenta de comunicação e o crescimento da publicidade como mercado e capacitação técnica acabaram redesenhando o perfil da comunicação no mundo.

Principalmente no Brasil, as agências começaram a se desenvolver e a crescer num ritmo que refletia as novas condições do mercado.

Começaram a surgir as grandes agências – e meu interesse por comunicação, que antes podia parecer mero diletantismo, tornava-se muito mais vigoroso, apaixonado e sólido. Para minha sorte, eu havia começado a me interessar por publicidade na hora certa.

Era um interesse que, em termos pessoais, possuía uma história, uma arqueologia e um alvo.

Inicialmente, eu havia pensado em adquirir ou administrar algum veículo e – como sempre fiz questão de me informar sobre tudo o que pudesse a respeito do que me interessava –, passei a ler muito sobre o assunto.

Foi quando constatei que o Brasil tinha investido tanto no setor de telecomunicações que já possuía um satélite antes mesmo de ter resolvido o problema de saneamento básico – antes mesmo até de ter aprimorado a qualidade de suas estradas e ferrovias.

A abrangência da cobertura da televisão, na época, já era de quase 100% de nosso território. Incentivado estrategicamente pelo regime militar, o negócio de comunicação cresceu de modo absolutamente desigual em relação às nossas necessidades mais básicas – e toda essa infra-estrutura de comunicação precisava ser preenchida, precisava ser ocupada e devia passar a gerar conteúdo.

Era um paradoxo instigante: o Brasil caminhava a passos firmes para o Primeiro Mundo em termos de informação e se mantinha dramaticamente atrasado nas conquistas de seu desenvolvimento de nível mais básico. Historicamente, foi nesse momento que a publicidade começou a desempenhar o papel fundamental, no universo da comunicação, que acabaria caracterizando sua atuação anos mais tarde.

Eu sempre acreditei que, em relação aos veículos, a publicidade constitui parte integrante da programação e da linha editorial, juntamente com os produtos ligados ao entretenimento ou ao jornalismo. E tudo isso ficava muito claro para mim, já aos 26 anos de idade: eu era praticamente um garoto, mas minha paixão pelo negócio da comunicação era tamanha – e, na verdade, tão obcecada – que eu conseguia enxergar com muita clareza a radiografia de seu funcionamento.

Minha intuição me assegurava que existia um mercado em rápida formação que precisava atender a um mundo crescente de necessidades. Mas o que eu podia fazer para ingressar naquele mundo? Qual era o menor investimento que me permitiria participar de tudo aquilo?

Como nós sempre tivemos um problema enorme em relação à organização de dados no Brasil, eu não tinha muita condição de avaliar com absoluta precisão a força potencial de todo esse mercado. Mas todo mundo repetia que o investimento devia ser total: ou era feito ou não.

O famoso *ranking* das agências, nessa época, já apontava com clareza para a situação geral de tudo. Para alguém como eu, todo esse movimento e toda essa ebulição, mesmo que constantemente sujeita a turbulências, parecia cada vez mais apaixonante. Comunicação é um negócio que me apaixona – e obceca - até hoje.

Na época, o Eduardo Fischer já tinha um sócio em sua empresa, o ator Tato Gabus Mendes, numa agência que se chamava, como era mais ou menos a praxe naquele período, Fischer/Gabus Mendes.

Tanto o Tato quanto o Eduardo já tinham vendido seus carros para injetar um pouco mais de dinheiro na firma; ambos tinham certa dificuldade para administrar a empresa e possuíam uma carteira de clientes muito limitada. Não era um negócio particularmente promissor.

Eu me lembro que, na época, quando os negócios da agência se complicaram um pouco de novo, o Tato gritou – 'Mais um carro eu não vou vender!' Foi quando ele saiu e eu entrei.

O carro ficou com o Tato; eu fiquei com a sociedade. Minha carreira começava graças ao carro do Tato Gabus Mendes.

As pessoas em geral têm muita curiosidade de saber como comecei. Assim que me tornei uma pessoa mais conhecida em termos de exposição na mídia – e especialmente após a enorme repercussão de minha participação em *O Aprendiz* –, muita gente parece curiosa para descobrir como me tornei quem sou hoje. É uma reação natural – como se acompanhar meu início pudesse jogar alguma luz sobre a história de minha trajetória. De certo modo, pode.

É uma curiosidade, aliás, que me parece alimentada pela dificuldade de se imaginar uma figura conhecida independente de seu perfil como personalidade pública.

Quando pensam em mim, as pessoas já se veem prontas a uma série cristalizada de associações; nenhuma delas, aparentemente, soa muito apropriada à imagem de um jovem de 26 anos começando a carreira. Contar um pouco desse início, por isso, talvez seja importante para comprovar de forma mais clara algo em que eu sempre acreditei: o estilo e a personalidade de todo profissional estão sempre presentes em qualquer uma de suas decisões e em qualquer um de seus atos, seja em que estágio for de sua carreira.

Minha sociedade na agência foi definida praticamente durante um almoço. Algum tempo depois, o mundo dos negócios criaria um neologismo que acabaria classificando de forma muito sintomática o tipo de almoço em que executivos se conhecem, se reúnem e discutem projetos – o *'power lunch'*. Meu almoço com o Eduardo, na época, tinha muito pouco de *power*. Era só um almoço – mas foi decisivo para ambos.

Eu estava almoçando num restaurante na Alameda Santos que frequentava muito, ao lado do antigo Leonardo's e em frente ao escritório do meu pai – e, como éramos vizinhos, em frente também da agência do Eduardo.

Ele me viu e me cumprimentou; eu acenei para que ele viesse se sentar comigo à mesa. Quando começamos a conversar, eu comentei que estava muito entediado com meu trabalho; que meu pai tinha vendido a construtora e havia me proposto que assumisse a companhia de pesca, seu novo negócio, juntamente com meus cunhados – e que isso era a última coisa que me interessava no mundo.

Ele, por seu lado, desabafou que também estava vivendo um momento muito delicado; um momento em que claramente precisava se associar a um empresário que entendesse de negócios. 'O Tato me largou com uma mão na frente e a outra atrás', o Eduardo comentou, 'e eu preciso dividir a agência com alguém.'

Sem o Tato, a agência tinha sido rebatizada como Fischer&Associados. Depois daquele almoço, tornou-se a Fischer,Justus.

Era uma empresa minúscula que só atendia contas pequenas. Embora em um ano eu acabasse conseguindo devolver centavo a centavo o empréstimo que meu pai havia me oferecido para que começasse meu próprio negócio, o começo foi bem difícil.

Eu me lembro que, para chegar à contabilidade, era preciso passar pela copa.

Nosso telefone era emprestado do dentista do conjunto ao lado e nossa máquina de escrever não tinha a letra L. Era impossível, por isso, escrever palavras como 'cliente', 'contabilidade' – ou, significativamente, 'planejamento'.

Para começar a funcionar de uma forma minimamente mais profissional, eu achava que era fundamental que, antes de tudo, as pessoas chegassem à agência e tivessem vontade de trabalhar. Foi quando tomei a primeira grande decisão corporativa que me parecia essencial para uma boa gestão: eu pintei a agência.

Como nosso logotipo era cinza e preto, eu pedi para que a agência fosse toda pintada nos mesmos tons.

E como nosso escritório era muito pequeno, eu coloquei um espelho no fundo do corredor principal para dar a impressão de que tudo era maior. Era só um espelho – mas a diferença que fez foi enorme.

O espelho refletiu bem mais que nosso espaço físico: a disposição das pessoas, com essas duas alterações simples, mudou muito.

Os detalhes na agência que precisavam ser criados, corrigidos e drasticamente melhorados pareciam intermináveis. Alguém já disse que Deus está nos detalhes. Toda boa empresa também.

Não havia identificação nenhuma da agência na recepção do prédio, e se um cliente aparecesse espontaneamente por lá para conhecer melhor nossas instalações – o que eu duvido que pudesse acontecer na época –, ele não conseguiria nem descobrir em que andar estava a agência. Os exemplos de tudo o que precisava ser feito podiam se multiplicar com uma facilidade alarmante.

Esse foi o início de minha empresa. Hoje, 24 anos depois – e depois de tudo o que consegui realizar com minha equipe –, me fascina imaginar que esse escritório precário foi o ponto de partida de um grupo de seis empresas com faturamento bruto anual acima de 1 bilhão de reais.

Quando começamos a Fischer,Justus, o Eduardo Fischer e eu decidimos que ele cuidaria dos clientes e do produto final da agência; eu cuidaria da administração e da área financeira. Ele seria o homem da produção e eu, o dos negócios. Era uma divisão simples e que me parecia a mais eficiente: produção e negócios. Fischer,Justus.

Quem tiver estudado ou acompanhado a história da publicidade vai poder constatar com muita precisão que toda agência só nasce realmente a partir de um cliente-âncora, isto é, de um cliente que possibilite que ela mostre seu trabalho na TV, na revista, no *outdoor*, onde for. Em seu início, o que a Fischer,Justus mais buscava era justamente um cliente assim.

Todas as grandes agências começaram com algum grande cliente: a DPZ teve o Banco Itaú; a MPM teve a Ipiranga; a Salles teve a Ford Wyllis – e assim por diante.

'Não vamos sossegar enquanto não encontrarmos nosso cliente-âncora', eu sempre dizia para o Eduardo. E repetia um lema conhecido que me parecia infalível e extremamente saudável: *'Business first, staff later'* – 'primeiro os negócios, depois os funcionários'. E, evidentemente, os custos.

Comecei a organizar tudo.

Minha primeira medida foi fazer um organograma para entender como funcionava o negócio – principalmente porque eu tinha a impressão de que as pessoas na agência não tinham nem idéia do que era um organograma.

Aos poucos, fomos definindo melhor qual era nosso negócio, como a empresa deveria funcionar, qual a sua hierarquia, quem era quem, quais setores eram responsáveis por quais funções e quais atributos deviam ser desempenhados por quais profissionais.

Com 15 funcionários, a agência se encontrava num paradoxo: o número de nosso pessoal era muito superior às possibilidades de nosso faturamento, mas ao mesmo tempo era também muito inferior para atender às necessidades de um cliente maior. Era a estrutura minimamente necessária para operar a empresa, mas insuficiente para prestar serviços para um cliente de maior porte.

A situação me defrontava com um problema empresarial complexo e urgente: como eu poderia atrair um grande cliente para uma agência que claramente não teria condições de atendê-lo. Na época, eu sentia que a única coisa a fazer era começar a trabalhar com seriedade – e pesado.

Como faturamento, nós só podíamos contar com uma parte ínfima da Mitsubishi – um cliente que nos pagava um *fee* muito pequeno pelo nosso trabalho; além dele, só atendíamos uma empresa americana de defensivos agrícolas e o supermercado Barateiro.

A campanha da Mitsubishi, aliás, era ótima. Um dos comerciais mostrava um japonês sentado em cima de uma televisão e terminava recomendando: 'Desligue seu televisor, ligue o Mitsubishi.'

No interior do quadro estratégico em que se encontrava a agência, meu plano era claro: identificar nosso cliente-âncora e passar a investir de forma bem mais consistente em nossa estrutura.

No início, eu me ocupava de todos os detalhes: fiz questão de que uma placa identificasse nosso andar, que o *layout* da empresa fosse mais arrojado e que certos materiais que nos faltavam acabassem supridos. Foi o que providenciamos.

Eu me lembro de uma fase em que acabei contratando uma empresa de organização e métodos para organizar a agência – e o Eduardo quase enlouqueceu.

Eu expliquei que estava preparando nossa agência para o crescimento que poderíamos vir a ter: afinal de contas, éramos trabalhadores, sérios, honestos, jovens e adorávamos publicidade. E o mercado, por sua vez, estava lá, pronto para ser explorado. Não tinha como não dar certo. Nada mais verdadeiro que a fórmula que garante que sucesso só vem antes de trabalho no dicionário.

A empresa de organização e métodos que contratei era um grupo que já tinha organizado o sistema operacional de várias agências – como a CBBA, por exemplo, uma grande agência daquela época. Nós tínhamos de nos adaptar porque a organização funcional de praticamente todas as agências no Brasil era muito parecida, com um fluxo de trabalho que sempre obedecia às mesmas prioridades.

Eu lembro inclusive que decidi basear nosso acordo num contrato de risco: 'Olha aqui', eu disse, 'não tenho dinheiro para pagar vocês. Vocês têm de vir, organizar tudo e montar nosso esquema, mas eu só posso pagar de acordo com o crescimento do negócio. Na verdade, eu estou abrindo um novo mercado – e vocês vão ser meus parceiros.'

Eles eram muito bons e nos apresentaram várias inovações: todo nosso material de papelaria, por exemplo, já estava pronto para ser usado por qualquer agência informatizada. E é claro que a nossa estava muito longe de qualquer sombra de informatização.

Eu só fiz questão de manter as estruturas clássicas do organograma geral de toda agência de publicidade por uma razão básica: como essas estruturas funcionavam, *grosso modo*, muito bem, não me parecia que houvesse qualquer motivo sólido para alterá-las. O essencial era nosso produto – esse tinha de ser melhor que o das outras agências.

A primeira lição que aprendi foi simples: se você quiser nadar entre tubarões é melhor se tornar um deles. Um tubarão nunca é desleal ou desonesto; é implacável – e sabe muito bem o que quer.

Os primeiros meses na agência me provaram que quem quiser trabalhar bem precisa de muita determinação e de uma concentração ainda maior. São as duas grandes qualidades que até hoje fazem a diferença definitiva, para mim, entre o profissional competente e o medíocre.

Fui aprendendo tudo na prática porque não podia me dar ao luxo de perder tempo longe do trabalho ou com qualquer tipo de divagação.

Na primeira reunião com um *prospect* da qual participei, o Eduardo comentou: 'Você foi muito bem, você é muito bom para vender e convencer as pessoas'. E completou: 'Só não me chame mais comercial de reclame.'

A decisão de chamar a agência pela associação de nossos próprios sobrenomes, na época, era natural: como com grandes empresas de advocacia, todo mundo parecia acreditar, entre as décadas de 60 e 80, que quem põe seu nome na porta está, de imediato, pondo muito em jogo. E apresentando uma espécie de garantia pessoal pela qualidade de seu trabalho.

Historicamente, por isso, as agências foram batizadas durante muito tempo com os nomes de seus próprios fundadores. Acho que hoje isso mudou muito: associar o nome de qualquer empresário ao do seu negócio reduz um pouco as dimensões corporativas da empresa e a vincula um pouco demais à sua individualidade – não só ao seu perfil pessoal e à sua imagem, mas inclusive ao seu estado de espírito e aos momentos pelos quais passa.

Quando chegou a hora certa de partir em busca do nosso cliente-âncora, eu decidi fazer o que me parecia mais prático (especialmente porque o que é mais prático muitas vezes costuma ser também o mais eficiente): fiz uma lista dos meus amigos e conhecidos que tinham algum produto para anunciar e marquei um encontro com cada um.

Uma das pessoas que tinham um produto para anunciar, que eu conhecia e com quem marquei um encontro foi o André Brett, da Vila Romana. Meu pai havia ajudado muito o pai dele no início de sua carreira, quando a família Brett tinha acabado de chegar ao Brasil, vinda da Hungria. O primeiro telefonema foi sintomático.

'André, eu preciso falar com você', eu disse. 'Claro, Roberto, qual é o assunto?', ele me perguntou. A resposta veio rápida: 'Publicidade'. Pausa.

Sabendo que eu trabalhava numa construtora com meu pai, ele voltou a perguntar: 'Mas publicidade por quê?'. 'É que eu comprei metade de uma agência', eu disse. Pausa, mais uma vez. E dessa vez maior.

De repente, ele soltou uma enorme gargalhada. 'Você deve estar brincando comigo'.

Eu sabia que todas suas grandes marcas – Pierre Cardin, Yves Saint-Laurent e a própria Vila Romana – eram atendidas por grandes agências: a Alcântara Machado (que mais tarde se tornou a ALMAP), a Lage, Stabel & Guerreiro (que se transformaria na Lage & Magy) e até a MPM, a maior da época. Era muito pouco provável que entre tantas agências – e tantos nomes consagrados – ele acabasse dando alguma conta para a Fischer,Justus. Mas como na época ele era muito meu amigo, eu não desisti.

'O que eu queria era te explicar pessoalmente esse projeto, André, e levar meu sócio para você conhecer', eu continuei 'Quem é o teu sócio?', ele quis saber. 'O Eduardo Fischer'. 'Eu conheço o pai dele, o Gregório', o André disse, 'vamos marcar a reunião. Quando é melhor para você?'

Nós chegamos à Vila Romana, na Anhanguera, e quando começou a reunião o Eduardo, eufórico, começou falando muito – e não parou mais.

No final, o André me chamou de lado e foi bem mais conciso: 'Roberto, a coisa é simples', ele resumiu. 'Eu tenho marcas importantes e grandes agências que me atendem muito bem. Eu não posso simplesmente tirar a conta de uma agência e entregar a um amigo. Negócio é negócio. Além de tudo, acho que o teu sócio fala demais.' Ele não havia exatamente se encantado pelo Eduardo.

Mas terminou me dizendo que no dia em que tivesse alguma oportunidade ou alguma outra marca, ele me chamaria – e que, de qualquer modo, viria nos visitar quando pudesse.

O André era um dos meus melhores amigos, a única pessoa do meu círculo de relações que controlava vários produtos e o único cliente potencial para quem a Fischer,Justus podia começar a trabalhar imediatamente, atendendo alguma marca de prestígio. Minha primeira impressão era inevitável: se com ele foi assim, eu não queria nem imaginar como poderia ser com os outros.

Depois de um mês, eu comecei a telefonar para o André a cada quinze dias reforçando o convite para que ele viesse conhecer a agência. O André estava sempre muito ocupado, como era natural, e era muito raro que ele pudesse encontrar algum tempo livre em sua agenda.

Até que um dia, a visita acabou sendo marcada. Eu estava levando meu primeiro *prospect* para a agência.

Eu decidi mostrar os três ou quatro comerciais que a agência tinha produzido para clientes de menor porte – inclusive o da Mitsubishi, que só nos pagava pela criação. Eram poucos, mas podiam causar boa impressão – e com um *prospect* como a Vila Romana, boa impressão era justamente o que nós mais queríamos – e precisávamos – passar.

O André Brett chegou e foi estacionar seu carro – na época, um Landau – na garagem da agência. Mas como o prédio era antigo, nossa garagem era relativamente pequena: de qualquer modo, pequena a ponto de fazer com que o Landau do André parecesse bem maior que ela. E, pensando bem, talvez fosse mesmo – porque o carro acabou entalado.

Ele só conseguiu manobrar para tirar o carro da passagem entre as colunas raspando sua lateral. A situação não era particularmente promissora: antes mesmo de chegar ao nosso escritório para nos conhecer, vindo da sua fábrica na via Anhanguera, nosso único *prospect* já tinha conhecido nossa garagem. Se a primeira impressão é mesmo a que fica, o que ficou para o André da primeira impressão de nossas instalações foram os riscos na lateral de seu Landau.

O André Brett subiu, nos cumprimentou, nós conversamos um pouco e ele pôde conhecer toda a agência com um simples – e rápido – passar de olhos.

Em poucos instantes, havia chegado a hora de exibir os comerciais – o momento sempre mais ou menos solene em que a agência apresenta suas criações.

Naquela época, nenhuma agência usava fitas Beta ou mesmo VHS para editar seu rolo de comerciais – ou aquilo que se convencionou chamar, numa analogia com certas seleções de músicas, de seu 'repertório'. Tudo era projetado, como num cinema, em rolos de 16 milímetros.

Nós nos sentamos na sala de reunião e, ainda como num cinema, o projetor começou a passar os filmes. O que aconteceu foi muito simples: como num cinema – mas improvisado –, a primeira imagem que nós vimos não foi a de nosso primeiro comercial – mas a dos primeiros fotogramas pegando fogo.

O filme queimou, o projetor queimou, tudo em frente de nosso primeiro *prospect* – tudo em frente do dono da Vila Romana. Ele tinha conseguido um horário na sua agenda para conhecer o trabalho de uma agência nova – e por pouco não saía de lá chamuscado e tendo que ir direto para alguma oficina restaurar seu carro. Ele riu muito; nós rimos também.

Um pouco menos, talvez.

'Eu vim como tinha prometido', o André comentou na saída, se despedindo; 'na primeira oportunidade te telefono'. Nossa expectativa não era das mais altas.

Cinco meses depois, o telefone tocou. Era o André Brett. 'Roberto, a oportunidade chegou', ele disse.

Eu mal acreditava no que ouvia; o André continuou: 'Eu vou lançar uma marca no Brasil chamada Calvin Klein e vou abrir a concorrência para todas as agências que me atendem e mais algumas do mercado. Vou chamar a agência de vocês, que vai concorrer em iguais condições com todas as outras. Quem apresentar o melhor trabalho, fica com a marca. Feito?'

A agência que ficasse com a marca teria de adaptar uma campanha da Calvin Klein que havia feito muito sucesso, de caráter comportamental – campanha que eu conhecia bem. E o projeto não se limitava a publicidade – incluía também todo tipo de promoção e eventos. A oportunidade tinha chegado – e era nossa maior chance de começar de verdade nosso negócio. A única coisa a fazer era contratar bem mais gente para preparar conosco a apresentação: pessoal de criação, de planejamento e de RP – porque em moda era fundamental uma boa relação com a imprensa, que otimizasse a divulgação da marca e a tornasse conhecida por meio de ações que não se limitassem à propaganda.

Decidimos contratar pessoas que já estavam empregadas e pessoas que estavam só começando – fosse como fosse, estava na hora de transformar nosso projeto de empresa de publicidade numa agência de verdade. A possibilidade de que fôssemos atender uma conta como a da Calvin Klein atraiu muitas pessoas – inclusive profissionais de peso.

Se ganhássemos a conta, a agência certamente poderia justificar com outros e novos clientes o custo gerado por todas essas contratações. Já absolutamente convencido do princípio de distribuição de resultados, mesmo naquela época eu acreditava muito firmemente que encontrar as pessoas-chaves para as funções decisivas era fundamental. De qualquer maneira, eu estava decidido a pedir mais dinheiro emprestado, aplicar meu próprio capital, fazer o que fosse preciso: era evidente que nosso momento tinha chegado. Não se perde uma chance assim.

Meu critério para contratar pessoas sempre foi o mesmo. Com a minha formação e o meu conhecimento de administração, o que eu mais buscava era a pessoa certa para fazer o melhor trabalho – e, para isso, eu não precisava ser um *expert* em publicidade: o que precisava era conhecer e estudar o perfil dos profissionais que me interessavam.

Se estivesse dirigindo uma fábrica de *software,* eu iria contratar um técnico em *software* – não iria precisar fazer eu mesmo um curso de informática. Eu contratei um bom número de pessoas, mas é claro que não me atrevia a entrar na sala de algum diretor de arte, por exemplo, e dizer que o logotipo do cliente deveria estar um pouco mais à esquerda ou que a fonte usada em algum título podia ser outra ou estar em itálico. Um diretor de arte é o profissional que é pago para saber, entre tantas outras coisas, a melhor colocação de qualquer logotipo; eu devia estar sendo pago para saber quem contratar – não para desenhar marcas.

Era curioso como nas entrevistas que fazia para contratar pessoas, a maioria sempre repetia – 'eu sou ex-McCann', ou 'ex-Lintas', ou 'ex-Talent'. A intenção de cada um, evidentemente, era sugerir o quanto tinha de experiência e *know-how.* Comigo, pelo menos, essa nunca foi a melhor das técnicas. 'Ex-Fischer,Justus você nunca vai ser', eu tinha vontade de dizer.

O raciocínio é simples: por que eu iria passar *expertise,* clientes, treinamento, informações e por que iria investir em alguém que iria terminar exercendo tudo o que aprendeu conosco em algum concorrente? Era mais fácil não contratar alguém que já tivesse passado por tantas agências. Ter experiência é algo bem diferente da afeição que algumas pessoas costumam ter pelo hábito de enumerar os cargos que tiveram.

Embora eu fosse muito cuidadoso, preparasse com um rigor quase maníaco cada detalhe de nossa apresentação e tivesse me empenhado em articular muito bem todas as arestas políticas, o grande mérito na apresentação do trabalho foi do Eduardo.

Eu tinha uma noção considerável sobre o que deveria ou não ser apresentado, sobre quem da nossa equipe deveria ou não participar, sobre o *timing* que deveria marcar o ritmo da reunião e era capaz de avaliar razoavelmente bem a seqüência de toda a apresentação, mas não tinha quase nenhuma experiência específica em publicidade – e meu trabalho na reunião foi basicamente o de preparar o cliente para o que ele ia ver. E julgar.

Eu sabia que, em qualquer apresentação, a *performance* é sempre essencial – e que quem estiver apresentando qualquer projeto deve sempre manter inalterável seu entusiasmo, sua concentração e sua disposição.

Anos mais tarde, participei de uma apresentação importantíssima na qual o presidente da empresa para a qual tínhamos desenvolvido uma campanha acabou adormecendo profundamente cinco minutos depois de a apresentação começar – e não acordou mais até o fim da reunião.

Mesmo numa situação como essa, não se pode nunca perder a motivação – ainda mais porque existem mais pessoas acompanhando o que está sendo apresentado. Você precisa sempre continuar dando o máximo de si – pelo menos enquanto houver alguém acordado.

Como todas as agências deveriam apresentar suas campanhas no mesmo dia, a apresentação foi marcada no próprio cliente, para nossa sorte e não em nosso escritório – que, aliás, nem tinha uma sala de reunião à altura para receber todos os diretores da companhia, os gerentes de produto e os estilistas que acabaram participando.

Quando chegou a nossa vez, eu fui logo deixando claro que nenhum deles iria conseguir resistir a tudo o que iam ver e ouvir – que nosso trabalho estava fantástico e que seus desdobramentos podiam apontar para vários caminhos estrategicamente excelentes.

Era minha primeira apresentação importante, e a ansiedade e o nervosismo que acompanham toda apresentação final são sempre inevitáveis. Até hoje, muitas vezes eu me surpreendo mais ansioso do que deveria estar, ao me preparar para apresentar alguma campanha nova ou algum projeto de porte. O que me conforta é suspeitar que, nesses casos, toda essa ansiedade talvez só seja a contrapartida inevitável de quem quer que sinta uma grande carga de responsabilidade pessoal na condução de qualquer negócio. Ou do entusiasmo por estar trabalhando num grande projeto.

Ganhamos a concorrência. Como sempre, o mercado reagiu, procurando uma justificativa – muitas vezes maldosa – para o sucesso alheio. Não importava muito. O sucesso alheio, no caso, era o nosso. Tínhamos ganhado a conta da Calvin Klein.

Foi uma conquista que me confirmou pelo menos três regras infalíveis: 1) a de que qualquer empreendedor precisa ter, antes de tudo, alguma sorte; 2) a de que se existe qualquer chance, por mínima que seja, de algo dar errado, é sempre melhor se precaver com relação a ela; e, 3) talvez a mais importante, é a de que ninguém resiste a uma apresentação bem-feita.

O valor do lançamento da conta representava cinco vezes o movimento de toda a agência: com um só cliente, a agência tinha quintuplicado seu faturamento. Era um momento precioso: tínhamos absoluta consciência de que, se fizéssemos um bom trabalho, mais contas acabariam aparecendo. Mas não era hora de prospectar nada – só de se dedicar ao máximo para esse lançamento.

Como nosso projeto se baseava num plano de comunicação que durava dois anos, sua implementação se tornava um pouco mais confortável. Todas as áreas estavam estruturadas: a criação, o planejamento, o atendimento e a mídia (no nosso caso, especialmente, a mídia era fundamental, já que iríamos colocar no ar uma campanha enorme).

Por isso, aprendemos a trabalhar com um cliente grande da melhor forma que existe: trabalhando. E como as peças que foram veiculadas eram bem polêmicas, nosso nome começou a aparecer.

Eu nunca vou esquecer de um dos comerciais que mostrava um homem afirmando 'vagabundo é aquele que não está com nada mas está com tudo'. Era como se fosse um elogio da passividade – quase um elogio da irresponsabilidade.

Com um tema poderoso – 'Calvin Klein nasceu para todos' –, a campanha provocou grande impacto com peças que representavam um desafio aberto ao *status quo*. E era algo que fazia muito sentido, no contexto da época, em termos de conceito, estratégia e *marketing*.

Menos para o Conar, na verdade, que retirou o comercial do ar e acabou acusado de ter praticado não um ato de regulamentação, mas um ato bem mais simples – e relativamente mais imperdoável – de pura censura. A polêmica veio no momento certo – para o cliente e para nós.

Outro filme que foi muito marcante mostrava uma loira deslumbrante fazendo uma espécie de *strip-tease* ao som de *Carmen*, de Bizet, e no final ficava só com o *jeans* da Calvin Klein, os seios de fora. Outro escândalo. Mas era o tipo de escândalo que eu sempre considerei muito saudável: o escândalo que inovava, que desconcertava, que não era nunca gratuito – e que apontava para um caminho novo. Até então, no segmento de mercado para o qual desenvolvemos nosso trabalho, a Ellus representava o concorrente mais audacioso em sua comunicação. A partir de nossa campanha, a Calvin Klein ganhou uma visibilidade enorme. Era uma grande vitória.

Nessa segunda fase da campanha, o Eduardo convidou uma pessoa muito especial para dirigir os comerciais – especial pelo talento, pela forma moderna de criar imagens e especial porque nunca tinha dirigido nenhum comercial e estreava na área, portanto, trabalhando para nós. Era o Walter Moreira Salles (que na época era conhecido no meio simplesmente como Waltinho) e que, anos depois, após se consagrar com o sucesso de *Central do Brasil*, ganhou prestígio internacional como Walter Salles.

Nossa relação com o cliente era muito boa. Eu sempre acreditei que em qualquer negócio, a questão da empatia é fundamental – e o cliente da Calvin Klein confiava muito em mim.

A história da publicidade – como provavelmente a de todo grande negócio – se baseia muito, antes de tudo, na primeira impressão, na química pessoal, na relação individual, no caráter. E, depois, no trabalho.

Com algumas outras contas, que eu e minha equipe acabaríamos conquistando bem mais tarde, a mesma relação de empatia se repetiu – e com a mesma intensidade.

Uma foi a do Mappin, uma conta que eu fui buscar com muita determinação por estar convencido da importância do varejo na mecânica dos anunciantes; outra foi a do BCP.

No caso do BCP, o próprio presidente da empresa na época, o Roberto Peon, me confessou que tinha ficado muito impressionado com a obstinação e a paixão que eu tinha demonstrado em relação à conta. O Simon Aluan, do Ponto Frio, foi outro cliente que também acreditou muito em nós. E com ele adquiri um aprendizado muito útil de varejo que acabou sendo vital na futura conquista daquela que se tornaria a conta mais importante da minha carreira: a das Casas Bahia.

A lição disso tudo me parece simples: por mais que tenham evoluído as relações comerciais no nosso ramo – e elas evoluíram muito –, conquistar uma relação de confiança com seu cliente ou com quem quer que seja continua absolutamente inestimável. Qualquer negócio sempre começa com uma demonstração de caráter.

As contas da Brahma e da Skol foram conquistadas numa base muito parecida.

O Marcel Hermann Telles, presidente da companhia, era um ser humano que me ensinou muito e um profissional fantástico. No dia em que nos entregou as contas da Brahma e da Skol, após uma dura concorrência, ele avisou: 'Vocês podem errar profissionalmente, porque isso é natural dentro de qualquer relação profissional' – e nesse instante tirou sua carteira do bolso, pôs na mesa e disse: 'Mas essa é a única coisa que eu não aceito de um fornecedor: que ponha a mão na minha carteira. Que eu nunca seja surpreendido com nada parecido e que vocês administrem as verbas com propriedade e segurança; se errarem, vão ter a chance que merecem – mas se qualquer fornecedor errar com o nosso dinheiro, aí acabou tudo.'

É claro que ele sabia de nossa honestidade – ou não estaria nos entregando duas das contas mais cobiçadas pelo mercado –, mas a forma de redefinir nossa responsabilidade acabava colocando a relação da agência com a conta num patamar muito mais rigoroso.

A partir daí, nosso esforço passou a se concentrar em tornar todo centavo que a empresa investisse em publicidade no investimento mais rentável que pudesse ser feito. Mesmo com as contas da Brahma e da Skol, o parâmetro continuava sendo determinado pelo caráter – mais que profissional, ético – da relação.

Além disso, nosso lema na época traduzia muito bem aquilo em que nossa agência mais acreditava: nós sempre repetíamos que tínhamos um compromisso direto com o sucesso do negócio dos nossos clientes. Para mim, esse deveria ser o princípio de toda operação de publicidade: uma preocupação bem maior com o cliente que com a própria agência.

Em pouco tempo, nosso trabalho com a Calvin Klein começou a render frutos.

Vieram contas como a Westinghouse, a Clímax, os supermercados Eldorado e a Credicard. A empresa começou a crescer e não parou mais: em dois anos, a agência já tinha crescido 4.000%. A justificação percentual de como uma empresa pode crescer tanto é aritmética: como nosso negócio era pequeno, é mais fácil – e mais rápido – crescer a partir de números pequenos.

Mas esse crescimento também se justifica profissionalmente: nosso trabalho tinha qualidade, visibilidade, era diferente e nosso perfil começava a surgir como o de uma agência inovadora e muito dedicada ao negócio do cliente. Era uma boa combinação.

Mas os reflexos, na vida pessoal, de toda essa obstinação pelo trabalho nem sempre costumam ser muito saudáveis. E, no meu caso, não foram.

Meu primeiro casamento foi totalmente prejudicado pelo negócio – e pela minha dedicação.

Quase sempre eu odiava as sextas-feiras e os fins de semana – e não via a hora que chegasse segunda-feira para que eu voltasse a trabalhar.

Por outro lado, eu havia casado muito cedo e minha primeira mulher era uma estudante que vivia num mundo muito diferente do meu.

Nós começamos a ter interesses cada vez mais distantes, a pensar de uma forma cada vez mais distante, até a reagir de maneira muito distante um do outro e o final da história não podia ser outro. Nós nos distanciamos tanto que o casamento acabou. É uma profissão em que não existe o sistema *nine to five* – e por isso, como não existe nenhum horário fixo, não pode existir também quase nenhum compromisso de agenda pessoal que seja absolutamente certo que vá ser cumprido.

Na época em que ainda me envolvia muito mais na prática da operação, era comum que o telefone tocasse às 2 da manhã porque o serviço de algum cliente não tinha entrado na gráfica, por exemplo, e ele precisava de qualquer jeito de todo o material pronto no dia seguinte. Eu saía de casa no meio da noite e ia para a gráfica acelerar tudo para que o material fosse rodado. Onde quer que esteja, como nas profissões que atendem a certas urgências, todo publicitário com maior responsabilidade em certos processos sempre precisa estar perto de um telefone ou estar com algum celular. Em termos exclusivamente pessoais, é sempre um desgaste.

Existe gente que acredita que ganhar muito dinheiro pode acabar separando as pessoas. Não é o meu caso: meu primeiro casamento acabou prejudicado por causa da minha paixão pelo trabalho, não por causa do dinheiro que comecei a ganhar.

É justamente um bom salário que permite que as pessoas possam projetar ter filhos, viajar, aproveitar o que quiser e viver com um pouco mais de tranquilidade. Dinheiro é um fator que agrega, não que isola.

Além disso, geralmente se confundem algumas formas de sucesso com certa competitividade que existe entre casais que trabalham no mesmo ramo de negócios. Como o número de mulheres que trabalham em publicidade é muito alto, já presenciei vários casos em que o casamento acaba abalado porque a mulher tem mais sucesso que o marido – ou vice-versa.

Já dirigi agências, inclusive, nas quais 70% dos funcionários eram mulheres espalhadas por rigorosamente todas as áreas. No departamento de mídia, por exemplo, as mulheres compunham praticamente todo o quadro de pessoal.

E como recebem salários altos, muitas vezes a remuneração acaba gerando certo conflito em seus casamentos.

É um problema com raízes em nossa tradição cultural: o homem sempre foi criado para ser o provedor e, com a posição que as mulheres conquistaram no mercado de trabalho, essa relação termina ameaçada de ser subvertida. Não são muitos os que aprendem a lidar com isso de forma confortável.

Isso tudo fui aprendendo aos poucos, com muito trabalho pesado e muita experiência – numa carreira desde o início visceralmente ligada à comunicação, que sempre foi minha maior paixão e que começou como a de muitos profissionais em todas as áreas: com alguns tropeços, algumas decepções, algumas surpresas – e, no meu caso, uma obsessão que continua inabalável pela qualidade, a ética e o trabalho bem acabado. Mas muito mais estava por vir.

A CARREIRA: PRIMEIROS DESDOBRAMENTOS

O ano de 1985 marcou o momento da nossa primeira associação internacional com a Young & Rubicam.

Foi uma associação que acabou prejudicada, pois tenho uma personalidade muito forte. E o Eduardo Fischer, meu primeiro sócio, também tinha.

Ao longo do tempo, ficou claro que era quase impossível para mim, tanto no plano profissional quanto no pessoal, ter de conviver com algumas medidas e decisões que me pareciam muito equivocadas. Meu papel parecia o de um sócio sem poder de decisão – e quem me conhece pode imaginar o quanto isso me pode ser insuportável.

Quando começou a fusão com os americanos, nossa sociedade era com uma multinacional gigantesca que tinha estabelecido um contrato com cláusulas que engessavam nossa atuação por meio de um presidente que os representava porém não era acionista.

Segundo nosso acordo, não poderíamos tomar certas medidas sem que fossem discutidas em detalhes pelos sócios – mas, por outro lado, nenhum americano se instalava na empresa para ficar controlando qualquer decisão.

Infelizmente a frase *'think global, act local'* ('pense global, aja local') não foi usada em nosso caso.

E, pelos padrões da época, nosso trabalho acabava limitado pelo estilo de uma multinacional dominante.

Se estabelecessem que eu deveria trabalhar, por exemplo, de terno azul, meus ternos azuis se tornariam imediatamente meu uniforme oficial. Era inevitável que chegasse um momento em que a impressão de que o trabalho não estava rendendo se transformasse numa convicção quase paralisadora.

Outro problema que ficava cada vez mais difícil de superar era o terror que meu sócio vivia com sua equipe de criação por conta de decisões que eram muitas vezes inesperadas ou restritivas. Fomos tratar desse impasse com nossos sócios multinacionais e quando eles confirmaram que não mudariam nenhuma de suas determinações, nós infelizmente tivemos de deixar a sociedade. E foi nossa melhor decisão.

Quando fomos para essa última reunião acertar tudo, tínhamos absoluta consciência de que só havia uma opção: ou ficar felizes sozinhos num modelo de operação – ou ficar felizes sozinhos em outro.

Não havia uma terceira possibilidade: ou sozinhos com a Young & Rubicam, mas operando da nossa maneira, ou sozinhos sem a Young, operando da nossa maneira. Era impensável que continuássemos juntos com algum executivo da Young nos presidindo. Por isso, mais que traçado, nosso cenário já estava absolutamente decidido.

Eles responderam que nossa primeira opção era incogitável e que nós talvez devêssemos repensar. Repensar é que era incogitável para nós.

'Ok', eles ponderaram, 'vamos ver o que é possível negociar'. O que era só um cenário começou nesse momento a se tornar real. A conversa não era mais sobre nossa decisão – era sobre quais clientes ficariam com quem.

A empresa foi dividida aproximadamente na mesma proporção em que estavam distribuídas as ações: como eles tinham 60% da empresa, ficaram com seus 60% e nós com os 40% restantes. Os clientes internacionais continuariam, logicamente, com a Young; os locais – clientes importantes, como o Eldorado ou a Credicard – continuaram conosco, e mais tarde se somaram à Brahma e à Skol.

Minha conta era definida por uma aritmética ao mesmo tempo corporativa e pessoal: eu preferia ficar com 40% de um negócio 100% nosso que continuar infeliz administrando uma agência que era 60% de outro. Hoje eu talvez pensasse de forma um pouco diferente. Dezesseis anos se passaram – e dezesseis anos fazem alguma diferença.

Na época, eu sentia que provavelmente ainda podia errar um pouco – e foi pensando que eu ainda podia errar que tomei a atitude mais correta de todas. Foi uma atitude baseada não só numa avaliação técnica e estratégica de tudo, mas numa dose razoável de alguma coragem pessoal.

Quando nossa sociedade com os americanos acabou, o mercado apostou que era o fim da Fischer,Justus.

O que se comentava era que só nossa inexperiência – e nossa irresponsabilidade – poderiam ter feito com que nos associássemos a um gigante como a Young & Rubicam. A fama de irresponsabilidade, tagarelice e leviandade do Eduardo também não ajudou muito.

O mercado repetia, com uma satisfação perversa, que a brincadeira tinha acabado. Muito pouca gente sabia que, ao contrário do que a maioria imaginava, a decisão de acabar com a sociedade tinha sido nossa.

A impressão geral que se tinha é que todos, aliviados, suspiravam 'chega de se preocupar, vamos deixar os moleques lá e continuar trabalhando'. O que ninguém previa é que em um ano e meio os moleques crescessem mais que a própria Young & Rubicam.

Nós nos mudamos do prédio imponente em que ficava a Fischer, Justus, Young & Rubicam e nos instalamos numa casa pequena, modesta, em que funcionava uma unidade de *design*. Eu dividia a garagem da casa com nosso diretor financeiro, o Antonio Kalil Cury.

Era uma casa que apelidamos da forma mais carinhosa que podíamos. 'Vamos voltar para a saudosa maloca', costumávamos dizer, depois de alguma reunião fora.

Foi nessa saudosa maloca que conquistamos as contas da Brahma e da Skol.

1990 foi o primeiro ano da nova Fischer,Justus – e foi o ano em que nossa agência cresceu com maior rapidez e mais volume. Em 1991, nossa agência já era consideravelmente maior que a própria Young.

O desafio de erguer mais uma vez um novo negócio, pequeno, numa nova fase e numa nova etapa, me provocava alguma ansiedade. De qualquer forma, era muito bom poder voltar a construir algo.

Na agência anterior, nós nos encontrávamos seguros sob o guarda-chuva de um gigante. De repente, estavámos mais uma vez sozinhos – o que sempre gera alguma insegurança em relação ao futuro.

O melhor remédio para qualquer insegurança é trabalhar. Foi o que começamos a fazer.

Junto com o trabalho, a coragem de mudar tudo e de ter de recomeçar parecia um estímulo a mais. Em certos momentos – no meu caso, pelo menos, na maioria deles – as dificuldades são como um impulso.

O grupo de pessoas que nos acompanhou era muito unido – nosso pessoal de criação, por exemplo, fez questão de seguir conosco. Nossa equipe acabou ficando com o número certo de pessoas que cabiam na casa. Com isso, tudo foi aos poucos começando a ficar com o aspecto de uma empresa.

O resultado foi feliz: a partir de uma base de 40% do faturamento da empresa anterior para trabalhar, quadruplicamos nossa receita em um ano e meio com a conquista de outras contas.

As pessoas estavam muito entusiasmadas pelo projeto de reconstruir uma empresa que não estivesse ligada a nenhuma multinacional.

Quando surgiu a oportunidade de conquistar as contas da Brahma e da Skol, todo mundo sabia que era a chance que estávamos esperando – algo comparável à conquista da conta da Calvin Klein, em meu primeiro grande momento profissional.

Todo mundo trabalhou muito – e o que acabamos criando foi a memorável campanha da cerveja número 1. Os clientes adoraram perceber o quanto sua conta era importante para nós e com quanto empenho estávamos nos dedicando.

O clima geral não poderia ser melhor: mesmo em pleno início da era Collor, com o confisco da economia em 1990, nossos funcionários nos tranquilizavam repetindo que podiam continuar algum tempo sem salário – e que faziam questão de continuar.

A agência tinha algum dinheiro aplicado; nós mal estávamos começando e o presidente do Brasil nos obrigava a comunicar a nossos funcionários que o salário de cada um não era mais uma garantia mensal – era uma incógnita.

Os salários eram um problema que acabou sendo resolvido com uma de nossas contas: a do Eldorado. Como supermercados eram um dos poucos negócios que recebiam *cash* de seus clientes, pudemos receber *cash* para sobreviver.

O cenário macroeconômico não podia ser mais desfavorável – mas o que facilitou um pouco era o fato de que os clientes que continuaram conosco eram clientes locais.

Apesar de tudo, todos estávamos muito entusiasmados com as perspectivas – e trabalhávamos também com um entusiasmo que era cada vez maior e mais evidente.

Na estrutura que havíamos criado na Young, acabamos nos afastando um pouco do dia-a-dia dos clientes por conta da própria dimensão da empresa – eu passava mais tempo fazendo reuniões fora do Brasil e escrevendo relatórios para os Estados Unidos que tratando de projetos novos com meus clientes. Por isso, terem acreditado em nós e se mantido ao nosso lado era bem mais que um ato de lealdade: era um aval.

E só tínhamos uma maneira de honrar tudo o que esse aval representava: provar a cada cliente que eles tinham feito um bom negócio ao acreditar em nós, provar aos nossos funcionários que eles tinham feito um bom negócio em ficar conosco e provar a nós mesmos que o nosso negócio podia ser muito melhor para nós mesmos – e nos fazer muito mais felizes que antes.

Nesse primeiro momento, nosso raciocínio estava condenado a ser de curto prazo pelo mais urgente dos motivos: nossa primeira intenção não era, de imediato, descobrir como poderíamos crescer – era sobreviver. Ter passado por uma fase como essa foi uma grande escola.

Algumas pessoas gostam de repetir que existe o momento de plantar e o de colher; existe também o momento de ser agressivo e o de não ser agressivo. E não se pode ser agressivo nos negócios o tempo todo.

Eu já estava convencido naquela época – como continuo convencido até hoje – que a melhor política, em termos de negócios, é a agressividade: agressividade como expressão de um grande vigor para produzir, discutir, criar, inovar, administrar e buscar o que é melhor.

Mas, em certos períodos, o melhor que se tem a fazer é se recolher, se reorganizar, repensar certas idéias – exatamente para que a disposição para atacar o trabalho e os projetos acabe recuperada e fortalecida.

Se eu sou o dono de um restaurante e estou com todos meus clientes esperando, minha cozinha está uma desordem, o prato está demorando para chegar à mesa e quando chega tem um sabor diferente porque decidi mudar o cozinheiro, mudei a brigada de garçons, mudei os ajudantes e mudei tudo, minha única opção é provar, pelo meu trabalho e por tudo o que ofereço, que o cozinheiro, o garçom, os ajudantes e o serviço são muito melhores do que os que tinha antes. Por isso, se alguém estranhar o prato, só pode ser porque o sabor está incomparavelmente melhor. Na nova agência, o que nós estávamos buscando era justamente esse sabor novo.

Não era o momento de partir prospectando novos clientes porque nossa obrigação mais urgente era atender da melhor forma possível os que tinham nos acompanhado – para que absolutamente nenhum deles corresse o risco de sair decepcionado.

Se estivesse administrando meu restaurante, o momento seria de me concentrar para organizar minha nova fase – e só sair promovendo meu serviço e minha culinária depois que estivesse confiante na eficiência de minha organização. É claro que é importante dar um passo de cada vez – mas, muito mais que isso, é preciso saber que passo dar primeiro.

Foi uma adaptação a todo um novo modelo só comparável à que eu viria ter de adotar mais uma vez quando resolvi adaptar a estrutura da Bates para os projetos e o modelo do Silvio Matos. A moral da história é só uma: uma agência precisa trabalhar com criatividade, eficiência e ética. Precisa ter o que apresentar e saber como vender: essa comunicação integrada é importante porque o perfil de todas as ferramentas é importante.

Mas a comunicação entregada talvez seja ainda mais importante que a comunicação integrada. E o que é comunicação entregada? Simples: é a comunicação que entrega. Que entrega resultados.

Em termos de gestão de pessoal, não tenho trabalhado ultimamente com nenhum plano oficial, específico – mas é claro que é um cuidado de que nenhum empresário pode descuidar.

Por isso, toda vez que é anunciada alguma feira importante de varejo na Europa ou nos Estados Unidos, fazemos o possível para mandar para o evento nosso diretor de atendimento das Casas Bahia; todo ano o pessoal de criação sempre volta para Cannes para se atualizar; vários de nossos profissionais já cursaram o MBA da Madia e Associados e nosso diretor de mídia recentemente foi à Nova York para uma imersão total no setor de mídia de algumas agências americanas. Chegamos inclusive a pagar cursos de inglês e até espanhol para muitos profissionais e, como regra geral, sempre que alguém se interessa por algum evento ou seminário ligado à profissão, seja onde for, a agência costuma bancar. Existe até um orçamento específico para isso.

Às vezes é um investimento que não se paga – porque no Brasil nossa cultura empresarial não valoriza como deveria o ideal corporativo de fidelidade.

Sempre se corre o risco de se investir brutalmente em algum profissional só para acompanhar seu trabalho em outra agência, aplicando tudo o que aprendeu às suas custas. É um dilema clássico: se a agência não investe, pode não ter um profissional tão bem preparado como gostaria; se investe, pode acabar perdendo para a concorrência alguém tecnicamente muito mais bem informado.

Mas é um risco que se tem de correr – e um investimento que não pode ser regateado.

São princípios que fui aprendendo aos poucos e na experiência prática do trabalho, desde minha primeira agência em 1981 até hoje, com o grupo Newcomm que presido, formado pela Young & Rubicam, a Dez Brasil, a Wunderman, a Maestro, a Ação e a Long Play.

Fiz associações, sociedades, desenvolvi muitos negócios, perdi alguns, tive muitos parceiros, liderei muitas pessoas – e toda essa experiência tem me mostrado o quanto tudo o que se aprende só tem sentido se estiver dirigido para um projeto que sempre se renova, que é sempre passível de uma reconstrução.

Passando pela primeira Fischer, Justus, pela experiência com a primeira associação internacional com a Young & Rubicam, com a Fischer, Justus da época da Brahma, a Newcomm, a NewcommBates e finalmente pela nossa associação do novo grupo Newcomm com a WPP, acumulei um conhecimento sobre o negócio da comunicação que sempre foi alimentado por muita paixão.

Foi essa paixão que tem tornado, através dos anos, cada vez mais fascinantes os problemas, as lições e as possbilidades abertas pelo exercício da administração, dos negócios e da criatividade.

ADMINISTRAÇÃO, NEGÓCIOS E CRIATIVIDADE

A AGÊNCIA IDEAL

Eu sempre ouvi vários profissionais se perguntarem qual seria a agência dos sonhos do cliente. E sempre acreditei que o grande dever de toda agência é tentar se posicionar exatamente como esse ideal com o qual todo cliente sonha – e que deve ser nossa obrigação, como profissionais, realizar.

Se realizarmos uma grande pesquisa com, por exemplo, os 150 diretores de *marketing* das maiores empresas do Brasil, dos Estados Unidos e da Europa, cada um deles vai descrever uma agência ideal de acordo com o seu perfil e de acordo com o perfil da empresa que representa.

É claro que é um ideal de agência que vai se transformando com o tempo, conforme se transformam as condições das empresas e a situação da economia – e é sempre muito saudável tentar perceber o que cada modificação neste ideal acarreta.

No momento histórico e estratégico em que se encontravam meus negócios na época da Bates, por volta de 2003 e 2004 – e de acordo com minha avaliação do quadro geral da estrutura –, eu já não queria mais ter meu nome na fachada ou minhas iniciais no logotipo.

Preferia ter um grupo muito afinado de talentos para os quais oferecer um serviço de comunicação de qualidade para o cliente, mais que um método de trabalho, fosse uma obsessão.

Eu sabia que precisava me manter na função de líder e de organizador, mas não queria mais montar uma agência baseada num tipo qualquer de *one-man show*.

Meu primeiro critério era evitar ao máximo criadores ou profissionais que precisassem de duas portas para entrar na agência: uma para eles, outra para seus egos.

Em seguida, me parecia fundamental tentar criar um ambiente de trabalho que fosse saudável – já que, sendo saudável, tudo tende a se tornar mais feliz – e, sendo feliz, todo mundo acaba se tornando muito mais produtivo.

Além disso, uma vez que pelo menos parte dessas duas premissas iniciais estivessem satisfeitas, eu pretendia aproveitar ao máximo o ciclo produtivo da agência.

Como qualquer organismo, as empresas também têm seus ciclos – não só seus ciclos de maturação, mas inclusive os ciclos em que a velocidade de suas oportunidades e de suas conquistas se acelera. Minha intenção, por isso, era aumentar ao máximo esses ciclos, otimizá-los e aproveitar tudo o que fosse possível para a agência, minha equipe e os clientes.

UMA PROPORÇÃO VALIOSA: 10-60-20-10

Foi com o pessoal do Banco Garantia que eu aprendi um tipo de avaliação que sempre considerei essencial (especialmente com o Jorge Paulo Leman e o Marcel Herman Telles, que viajavam muito para os Estados Unidos só para entrevistar jovens brasileiros que estudavam fora e contratá-los). Era um exemplo maravilhoso de valorização de jovens talentos, que combinava a aposta no novo com o aval da formação.

Eu mesmo sempre estimulei programas de estagiários; há algum tempo, já na Young & Rubicam, 1.500 pessoas se candidataram a 12 vagas que foram oferecidas. Dessas 12, contratamos no máximo duas ou três, que foram efetivadas por se revelarem *outstanding* – a boa expressão americana que define pessoas absolutamente fora de série e que têm mais chance de fazerem diferença no mercado.

Foi sobre a relação do número dessas pessoas – as que realmente fazem diferença – com o do restante dos funcionários que eu descobri uma pesquisa interessantíssima, durante um trabalho de assessoria com uma empresa de especialistas em formas de remuneração. Eles me contaram que, com base nessa pesquisa, a proporção das pessoas cujo trabalho é realmente decisivo para qualquer empresa costuma ser calculada a partir de uma média muito conhecida em administração e que funciona até como base para planos de remuneração variável: a média 10-60-20-10.

Seu conceito é um cálculo de proporção de pessoal. Em qualquer empresa que se imaginar, existe sempre uma relação técnica na distribuição dos profissionais que quase sempre obedece à razão de 10-60-20-10.

Os primeiros 10 são os primeiros 10% do pessoal de qualquer companhia que pode ser imediatamente demitido – e cuja demissão não acarretará absolutamente nenhuma diferença importante no funcionamento da estrutura.

São os 10% compostos por pessoas completamente desnecessárias para o negócio. É praticamente impossível identificar esses 10%. E eles estão presentes apenas em uma empresa muito bem administrada.

Em empresas mal administradas, esse número pode chegar a 30% – mas mesmo empresas notoriamente eficientes, como a Sony japonesa, só podem torcer muito para que o seu número não ultrapasse os 10% do pessoal contratado.

É importante nunca se perder de vista que esse cálculo não trata absolutamente de uma equação hierárquica: muitas vezes, por exemplo, o próprio presidente da empresa pode estar perfeitamente incluído nos 10% dispensáveis (é o caso de pessoas que foram simplesmente nomeadas e não têm preparo algum para o cargo).

Os 60 são os 60% seguintes: aqueles que os americanos chamam de *mainstreamers*, isto é, a maioria que mantém a engrenagem funcionando, a máquina nos trilhos e a estrutura ativa. São os que chegam às 9 horas, vão embora às 17, são regulares, metódicos, protocolares e entendem o trabalho que devem fazer.

Se alguém desse grupo for substituído por outro profissional de capacitação equivalente, o funcionamento da empresa não vai ser alterado em nada – nem para melhor, nem para pior. A empresa deverá continuar funcionando com exatamente a mesma velocidade, a mesma eficiência e a mesma qualidade. Esses são os 60% que, às custas de sua responsabilidade e vocação – a de manter tudo funcionando – representam uma camada com um perfil definido mas sem rosto. Se algum deles deixar a empresa, vai precisar ser substituído por alguém cuja única exigência deve ser sua adequação ao mesmo cargo.

Já se qualquer profissional que estiver no grupo anterior – o dos 10% dispensáveis – for embora, ninguém precisará ser posto em seu lugar. Os 60% não têm um perfil definido mas têm uma função importante; os 10%, na verdade, nem função chegam a ter.

O próximo número, 20, refere-se aos 20% que extrapolam sua função: são os que fazem mais do que são pagos para fazer. É o grupo formado por pessoas que se interessam mais pelo negócio e que, sendo por isso mais empenhados, acabam produzindo bem mais do que se espera de sua *performance*.

Os últimos 10 são os 10% que são absolutamente brilhantes. Além de fazer mais do que deveriam, fazem seu trabalho com mais inteligência, mais capacidade, mais inovação e mais rapidez. São pessoas capazes de mudar não só a história de alguma empresa, mas inclusive a do mundo em que vivem.

Os primeiros 10% não precisam fazer nada porque mesmo quando fazem seu trabalho nunca é relevante; os 60% precisam entender sua função e desempenhá-la com regularidade; os 20% que fazem mais do que seria sua obrigação precisam mostrar que são capazes de combinar dedicação e interesse num grau muito intenso; os 10% finais são incapazes de qualquer gesto, qualquer ideia ou qualquer decisão que não seja movida por muita paixão, energia, inteligência e imaginação – e, portanto, que não seja sempre inovadora e brilhante.

Eu mesmo pude comprovar como essa proporção de pessoal realmente não precisa obedecer a qualquer grau hierárquico: já tive uma estagiária muito jovem que, em dois anos, se tornou diretora de atendimento de um grupo de contas – e acabou ganhando, com 22 anos de idade, um salário maior que o do diretor da área. Tratava-se de uma pessoa brilhante, cujo único problema era justamente ter muita consciência da intensidade do seu brilho – e isso não facilitava muito suas relações com outros profissionais. Seu sucesso já gerava uma certa resistência e ela nunca cogitou em tentar atenuar essa resistência com um mínimo de humildade. Esse é o único motivo pelo qual ela não está conosco até hoje.

Esses são os 10% em que provavelmente se encontrava o pesquisador da Pfizer que acabou descobrindo a fórmula do Viagra, repensando os usos do sildenafil; ou o rapaz da expedição que criou um sistema em que nenhuma entrega de lote algum era desviada, atrasava ou se perdia; ou o funcionário do departamento de contabilidade que desconfiou que talvez o serviço de transporte estivesse gastando mais por quilômetro rodado que deveria e passou a imaginar também um novo sistema de distribuição de rotas e otimização da rede.

E é justamente o salário desses 30% do topo da pirâmide (formado pelos 20% que superam as expectativas juntamente com os 10% fora-de-série) que precisa ser calculado a partir de um sistema de remuneração variável. Por isso, antes de estabelecer esse cálculo, todo empresário deve antes de tudo identificar com o máximo de precisão possível quais são as pessoas que compõem esses 30%.

A IMPORTÂNCIA DAS CONSULTORIAS

Todo nosso plano de remuneração variável foi feito de encomenda para nossa agência.

Eu passei para a empresa de consultoria que estava nos assessorando todos os dados que julgava relevantes sobre a agência – dados sobre até que ponto eu estaria disposto a ceder, quais seriam minhas intenções ou qual o objetivo corporativo que estava buscando. E isso era fundamental porque embora os consultores que tinha contratado já tivessem desenvolvido planos semelhantes para bancos e outros grandes grupos, cada caso é um caso.

A própria Isabel Arias, por exemplo, que fez parte da nossa equipe como diretora de RH por mais de 10 anos – e que viria a se tornar uma de minhas conselheiras em *O Aprendiz* –, trabalhava numa empresa de consultoria que eu tinha contratado para organizar nosso pessoal. Ela acabou se apaixonando pela agência, a agência se apaixonou por ela e com o consentimento da empresa para a qual ela trabalhava, nós a contratamos. A Isabel é um exemplo do quanto eu sempre valorizei o serviço de consultorias.

O Madia foi outro consultor que me ajudou muito a constituir a empresa, a avaliar a negociação com a Bates Worldwide e a criar parâmetros de negócios com multinacionais. Se estou vendendo uma parte do patrimônio, eu não posso me basear só na minha experiência e na minha intuição, por mais confiáveis que me pareçam: preciso saber avaliar se eu estou ou não exagerando na negociação, se estou ou não fazendo um bom negócio.

Desde que as decisões finais sejam sempre de quem os contrata e não deles, consultores representam um dos melhores investimentos que qualquer empresário pode fazer.

O ideal é usar toda a experiência que as melhores assessorias podem oferecer e construir um raciocínio corporativo a partir dos melhores exemplos que já foram implantados: é muito mais seguro estabelecer um plano de participação de funcionários, um processo de auditoria ou algum mecanismo de administração tendo por base uma referência que já foi analisada, testada e posta em prática do que se aventurar em experiências arriscadas com algum modelo novo.

Para qualquer decisão estrutural, é essencial ter um parceiro que possa contribuir com dados importantes e com muito conhecimento do processo – assim como é essencial que fique muito claro o tempo todo de quem é a decisão final. Toda consultoria é uma base, não um conjunto de fórmulas que deve ser implantado cegamente em qualquer negócio.

Nenhum desafio pode ser enfrentado sem alguma preparação. Em dois momentos muito específicos de minha vida profissional eu vendi parte das minhas empresas a sócios internacionais.

Quando tinha 30 anos, eu e o Eduardo vendemos parte da Fischer,Justus para a Young & Rubicam. Com 42 anos vendi a totalidade de minhas ações para o Eduardo Fischer. Com 43 anos, vendi parte da Newcomm para a Bates Worldwide. Na primeira vez, eu estava envolvido com o negócio há apenas 4 anos. No caso da Bates, há 17. Uma diferença de 13 anos separava cada operação.

Mesmo assim, fiz questão de contratar uma empresa de consultoria para fechar o segundo negócio. Os momentos eram completamente diferentes: desde o ambiente socioeconômico até meu próprio momento pessoal – e, nesses 13 anos, eu tinha acumulado muita experiência. Mas sabia que não podia me sentir o dono da verdade. Sabia que ninguém pode se sentir o dono da verdade. É um mau negócio.

Por isso, sempre pautei minhas decisões em parte por tudo o que sabia no momento – e em parte por tudo o que não sabia.

Em momentos assim, preciso confiar em quem tenha *know-how* e não esteja diretamente envolvido no negócio. São pessoas que, independentemente do negócio ser ou não fechado, só estão interessadas em contribuir para a análise de cada caso. Apesar de muitos estranharem os motivos que me levavam à contratação, foi isso que sempre me fez decidir pela boa oportunidade de contratar os serviços de uma consultoria.

Por mais que tivesse mais experiência, da segunda vez, minha responsabilidade também era infinitamente maior – e, ao contrário da primeira venda, quando eu era um jovem de 30 anos iniciando a carreira e podia me dar ao luxo de não acertar em tudo e ajustar o que precisasse mais tarde, dessa vez eu tinha muito mais a ganhar – e, consequentemente, tinha também muito mais a perder.

Por isso, recorrer aos serviços de uma consultoria em que se confie é sempre bom. Tecnicamente, as chances de qualquer erro acabam diminuindo. E, pessoalmente, é sempre bom reafirmar – mesmo que seja para si próprio – que a verdade não tem dono. Nem preço.

O PROFISSIONAL CERTO NO LUGAR CERTO

Outro problema que precisa ser enfrentado com muita clareza é o da adequação do profissional ao seu cargo. Muitas vezes se tem a sensação de que alguém está pronto para exercer um cargo acima – e a pessoa está longe disso.

O que acontece é simples: ao invés de promover um profissional que parece muito capaz, a empresa acaba com a pessoa errada no cargo errado.

É comum ver redatores ou diretores de arte maravilhosos e que fazem seu trabalho de forma extremamente competente se tornarem péssimos diretores de criação – porque são simplesmente incapazes de qualquer atitude de liderança. O resultado é que a agência perde um redator genial e ganha um diretor de criação medíocre.

É como naquele exemplo didático do cão de caça: alguns cães de caça são excelentes - mas não podem guardar o canil. Se ficarem guardando o canil, vão só acabar latindo ou mordendo quem não deve. E todo cão de caça não pode se limitar a saber caçar: precisa também ter consciência de que sua maior qualidade é realmente a caça – não a liderança, a vigilância ou o controle.

Eu, por exemplo, graças ao meu estilo, nunca consegui aceitar muito bem qualquer tipo de liderança. Minha personalidade é forte demais para que eu funcione bem sendo comandado.

E não se trata de ser melhor ou pior em nada; é uma questão exclusivamente de temperamento: eu sei que meu maior talento é tomar decisões. E o que eu mais busco é conseguir tomar o maior número de decisões corretas no momento certo. E com firmeza.

Firmeza é essencial porque o grande administrador não pode se dar ao luxo de hesitar. Em certas posições, qualquer expressão de hesitação pode fazer com que a empresa perca negócios, perca o pulso, perca força.

Já tive de trabalhar em contato direto com um profissional, por exemplo, que era impossível. Eu perguntava – 'O que você acha?', ele me dizia: 'Veja bem...' Eu perguntava – 'Você gosta?', ele me respondia: 'Gosto, mas...' Eu perguntava – 'Então vamos aprovar tudo?', ele me dizia: 'Ah, não sei bem'. Dá vontade de chacoalhar alguém assim. Meu primeiro impulso era dizer: 'Você gosta e não sabe? Quer que eu decida?' A resposta era sempre a mesma: 'Não, não, só acho que a gente podia avaliar melhor...' É claro que a gente sempre pode avaliar melhor.

É dever de qualquer empresário avaliar tudo, sempre, da forma mais abrangente e completa possível. Só que, cedo ou tarde, surge sempre um pequeno detalhe: alguém tem de decidir.

Sempre se pode avaliar e reavaliar o que for o tempo todo, mas alguém em algum momento tem de tomar alguma decisão. A diferença entre a hesitação e a decisão – como na forma das respostas desse meu parceiro – é a diferença entre quem se exprime por reticências e quem se exprime por um ponto final. O estilo de todo empresário decidido é sempre determinado por seus pontos finais.

MÉTODOS DE ADMINISTRAÇÃO

Durante muito tempo, em muitas agências, a administração costumava ser determinada por uma espécie de política do terror. Tudo parecia baseado numa disputa um pouco doentia por uma espécie de autoridade baseada num exercício quase mórbido de sacrifício. Muita gente adorava se vangloriar de que chegava às 5 da manhã na agência, antes de todo mundo. Eu ficava só imaginando o que aconteceria com uma agência em que todo mundo chegasse às 5 da manhã.

Existia até o folclore sobre certos diretores de criação – e mesmo um presidente de agência – que chegavam mais cedo, abriam os computadores de seus redatores e completavam anúncios, incluíam mais títulos para páginas duplas e criavam mais comerciais.

Nunca achei essa intromissão um método particularmente motivador. Para mim, tudo isso parecia só uma forma muito pouco produtiva de terrorismo.

Esse mesmo profissional que presidia uma agência importante – é o que contam – adorava repetir 'se você não veio aqui dar o seu sangue, não nasceu para trabalhar na minha agência.' Era o mesmo que ameaçar todo funcionário de demissão se ele não tivesse a admirável disposição de abrir mão completamente de qualquer interesse pessoal ou vida própria fora da agência. É uma condição que pode até soar muito bem em certos momentos, como um grande exemplo de dedicação e empenho. Eu só tenho minhas dúvidas sobre como isso se reflete, no dia-a-dia, no ânimo de cada profissional.

Sempre pensei o contrário – sempre acreditei que cada funcionário meu deveria, sim, ter sua vida; deveria, sim, continuar com seus interesses e seus planos pessoais, porque se a vida de cada um se limitasse à agência, nenhum deles poderia dar o máximo de si para cada cliente e em cada campanha. É fundamental que cada profissional mantenha um espaço íntimo.

Limitar a vida pessoal de todos aos limites de seu trabalho, para mim, nunca foi um exemplo de empenho – mas de desequilíbrio. Como se pode exigir criatividade de alguém esgotado, alguém sem tempo de ir a algum cinema ou passar um fim de semana com sua família?

É muito difícil que eu encontre alguém mais exigente com os outros ou comigo que eu mesmo. Mas existem momentos em que o rigor de certas exigências deixa de ser uma postura profissional ou eficiente e se transforma só em teatro. E quem está muito preocupado em fazer pose não pode produzir bem.

VIDA PESSOAL E VIDA PROFISSIONAL

Saber como equilibrar os limites entre a vida pessoal e a dedicação ao trabalho é uma questão delicada. Por mais que se permitam – e até que se estimulem – hábitos que tornem a vida pessoal de cada um repleta e intensa, é preciso levar em conta que uma agência não é um clube de campo: é preciso ter disciplina, horário, método. O problema que se coloca, então, é básico: como combinar o máximo de produtividade e seriedade com uma dose equilibrada de flexibilidade? O que nós fizemos foi criar um projeto de RH como eu, pelo menos, nunca conheci outro igual.

Há alguns anos, por exemplo, na Bates, tínhamos o *casual wear* às sextas-feiras, o Bates Kids – uma festa no fim do ano feita exclusivamente para os filhos dos funcionários –; ou mesmo nossos *happy hours* – eventos que em geral são organizados pelos próprios funcionários.

Tínhamos também os aniversários: em vez de comemorar todo dia o aniversário de alguém da empresa, uma vez por mês comemoramos o aniversário de todo mundo.

E nossas festas de fim de ano até hoje continuam merecidamente concorridas porque são sempre muito criativas: já comemoramos dentro de um trem, já fechamos hotéis, já viajamos no fim de semana.

Muitas agências têm eventos parecidos, mas nunca conheci alguma que tivesse, por exemplo, essa preocupação de trazer uma vez por ano os filhos de sua equipe para uma festa dentro da agência. São preocupações com a saúde moral de seu pessoal que ultrapassam um pouco o padrão médio.

Agora, trazemos também as mães dos funcionários para homenageá-las no Dia das Mães. Além disso, também servimos frutas a todos eles diariamente. São pequenos – porém importantes – gestos de atenção com as pessoas.

Com o tempo, eu passei também a entender que num negócio como o nosso, eu estaria sendo ingênuo se só cobrasse horário.

Se alguém tiver uma empreiteira e o engenheiro resolver chegar à hora que quiser, a empresa vai falir em dois meses. Mas especialmente em empresas ligadas à comunicação, o que mais precisa ser cobrado são resultados.

Existe, é claro, um padrão mínimo de responsabilidade que quem trabalha comigo precisa ter – e que representa simplesmente a consciência profissional de quem sabe que certos limites são bem mais que um simples protocolo.

Muitas vezes eu me afligia quando telefonava para a agência às 9 e meia da manhã e ninguém ainda tinha chegado. O que é preciso entender é que muitas vezes as pessoas ficam até de madrugada para concluírem alguma campanha ou algum trabalho urgente – e como ninguém reclama de ficar até muito tarde (muitas vezes, até muito cedo), não faz sentido reclamar que eventualmente alguém não tenha chegado na hora.

A partir de um nível gerencial, as pessoas precisam saber como administrar sua própria consciência em relação aos seus funcionários e ao seu próprio rendimento como profissional. É claro que qualquer pessoa, em qualquer nível, sempre precisa ter essa consciência – mas as pessoas que ainda não atingiram o patamar de gerência sempre têm alguém que as controla.

Por isso, é o pessoal com cargo decisório que precisa estar absolutamente sintonizado com o ritmo da empresa – e o meu. Se alguém decide tirar uma semana para descansar, ele sabe o que está fazendo. E se decide chegar ao meio-dia, também. O importante é que entreguem o trabalho no prazo certo – e que seja um trabalho de qualidade. Eu tenho de me concentrar muito e cuidar da administração do negócio e dos clientes; a administração particular do tempo de cada um, eu prefiro deixar para cada um.

O pessoal da criação, por exemplo, não é pago para ter suas melhores ideias das 9 às 19 horas: eles são pagos para terem grandes ideias até o momento da apresentação para o cliente. Muitas vezes alguém tem uma grande ideia de madrugada, ou antes de chegar à agência, ou durante algum almoço solitário.

Por outro lado, não existe nada melhor que o profissional que consegue separar com muita clareza sua vida no trabalho de sua vida particular. Nenhuma relação familiar ou particular pode sobreviver a alguém que carrega por toda parte consigo mesmo seus problemas ou suas preocupações no trabalho. E vice-versa: ninguém pode render muito profissionalmente se carregar para a empresa suas brigas conjugais, suas preocupações pessoais ou suas ansiedades – seja pelo motivo que for.

Mas, num negócio como o nosso, é praticamente impossível evitar continuar pensando – mesmo que inconscientemente – em certos desafios. Especialmente os de criação.

Eu sempre me lembro da história do grande físico Henri Poincaré que, no início do século passado, resolveu um dos maiores problemas da física do seu tempo da forma mais inesperada possível, enquanto subia os degraus de um ônibus – e sua explicação para ter resolvido tudo num degrau se relacionava ao fato de que, para ele, o subconsciente não parava de pensar e repensar o tempo todo o mesmo problema; desse modo, não havia nada que o fizesse estranhar que sua solução surgisse, clara e completa, num instante tão prosaico e casual.

Se formos comparar seu método de criar soluções para a física com o trabalho de qualquer criador em publicidade, ocorre mais ou menos o mesmo: certos pedidos logo se tornam um desafio tão grande que sua solução se transforma numa obsessão. É assim que todo momento, mesmo os de lazer, acaba sendo dedicado à sua solução.

E esses momentos têm de ser contados como horário de trabalho: como então eu podia insistir em horários fixos se a maioria das pessoas que trabalha em agência não possui horário nenhum? A base da eficiência de todo esse processo se resume a um talento simples: o de saber delegar.

Delegar bem não é só decidir direito sobre como distribuir funções: é saber identificar de que forma os profissionais contratados encaram o peso de suas responsabilidades.

E a felicidade do funcionário muitas vezes depende muito dessa forma de delegar. Por isso, é importantíssimo saber para quem se delega – e o que se pede. Antes de delegar, assim, é preciso aprender a confiar nas pessoas e aprender a saber para quem pedir o quê. Delegar não significa entregar a empresa.

AMBIENTE DE TRABALHO

Como a equipe de qualquer agência de publicidade passa muito mais tempo na agência que em suas casas ou com suas famílias, o ambiente precisa ser, se não feliz, ao menos saudável. Precisa ser um lugar no qual as pessoas sintam alguma satisfação quando estão entrando para trabalhar.

Justamente por isso, eu também sempre fiz questão de que nosso ambiente de trabalho fosse elegante, moderno, prático. Quem economiza em tecnologia, por exemplo, parece não perceber que uma rede de computadores atualizada e com *software* de ponta pode oferecer uma fonte de recursos mais sofisticada para o criador e uma velocidade de resolução muito mais ágil para quem trabalha.

Tudo numa empresa, no fundo, deve estar direcionado para que o ambiente de trabalho seja o mais agradável possível. E isso pelo mais técnico – e humano – dos motivos: quem trabalha feliz produz melhor.

Nossa matéria-prima é ideia – as ideias que levamos para o cliente, as ideias com as quais projetamos nosso planejamento, as ideias que podem fazer cada produto vender mais. Assim, é minha obrigação, como presidente e administrador, oferecer uma boa estrutura para se trabalhar e criar o melhor ambiente que puder – para inclusive reter o maior tempo possível conosco os nossos profissionais. Como nosso mercado não é exatamente dos mais leais, perder gente de talento é sempre um risco que se corre. Um ambiente feliz diminui um pouco esse risco.

Outro ponto também que sempre diferenciava minha agência em termos de relacionamento com o pessoal era nosso sistema de entrevistas de desligamento. Todas as empresas fazem entrevistas de admissão para conhecerem quem estão contratando; nós fazemos também as de desligamento – para entender por que certas pessoas estão preferindo ir trabalhar em outro emprego: queremos saber como foi a experiência de trabalhar conosco, o que definiu sua decisão de nos deixar e onde erramos.

Não é uma exclusividade nossa; muitas grandes empresas também fazem esse tipo de entrevistas – mas pouquíssimas agências que eu conheço têm a mesma preocupação. Eu sempre fiz questão de tratar muito bem quem contribuiu com o nosso negócio – e provavelmente em nenhum momento as pessoas merecem ser tratadas com mais cuidado que na hora em que estão nos deixando.

Por isso, eu acabo ouvindo com frequência profissionais comentando – 'Vou te contar, já trabalhei num monte de agência e nunca vi todo esse esquema; nunca vi uma empresa tão preocupada com os funcionários...' Mas essa preocupação sempre foi, justamente, parte daquele meu sonho de um dia conseguir montar minha agência ideal. E como uma empresa pode pretender ser a empresa ideal sem estar o tempo todo muito atenta às pessoas que formam sua equipe?

E é evidente que uma parte fundamental dessa agência ideal só pode ser o sorriso de seus funcionários: o grande *fringe benefit* de quem trabalha numa empresa qualquer é a felicidade.

Quando iniciei a Bates em 2000, minha base operacional era muito promissora, porque os dois sócios da agência que havia comprado eram muito queridos de todo mundo. Mas o problema que se coloca imediatamente é: como manter esse clima?

Numa agência com 35 ou 40 funcionários essa relação se estabelece de uma forma muito diferente de quando a agência possui 200 profissionais contratados, com um quadro muito maior de clientes – e uma pressão sobre todos, por isso, igualmente maior.

Quando se pensa nos pontos que diferenciam agências grandes e agências pequenas, é importante enfatizar que toda grande empresa tem de enfrentar problemas que são comparáveis ao seu tamanho. Não é preciso só saber trabalhar: numa empresa, é fundamental também saber crescer.

Num negócio pequeno, por isso, é importante criar o espaço para as pessoas crescerem; espaço que geralmente é criado quando alguém é promovido ou deixa a empresa: desse modo, o diretor se torna vice-presidente, o gerente se torna diretor e quem era funcionário se torna gerente.

Mas existe uma forma mais criativa de acomodar crescimento e manutenção de pessoal. Digamos que eu esteja precisando de uma nova assistente. Por que eu iria necessariamente contratar alguém, se posso treinar a telefonista, por exemplo, que já está conosco há algum tempo e, além de conhecer o ambiente de trabalho, tem mostrado competência e dedicação?

Da mesma forma, se alguém em quem acredito é supervisor de atendimento e tem todas as qualidades para assumir uma função de gerência, por que eu iria contratar alguém de fora? Abrir possibilidades dentro do negócio para quem já está contratado é muito importante: não existe quem não queira crescer profissionalmente.

Mas crescimento também precisa ser tratado com algum cuidado. Outro fenômeno que já vi acontecer algumas vezes (como com o pessoal do Garantia) foi a empresa exigir um comportamento excessivamente espartano de seus funcionários.

Conheci gente que ganhava milhões de dólares por ano e andava num carro sem ar-condicionado. Existem empresas que valorizam esse tipo de comportamento para avaliar a capacidade de cada profissional para continuar convivendo dentro de um ambiente de trabalho diferenciado.

Não é um método que me apaixone: hoje, na Young & Rubicam, quase nenhuma sala é fechada e as pessoas me veem o tempo todo. Desse modo, eu acabo fazendo parte do ambiente de todos e quem passa pela minha sala sabe que eu estou lá. O que exatamente estou fazendo as pessoas não sabem – mas todos se sentem mais seguros.

No nosso ambiente de trabalho, dois perfis são clássicos: em geral os profissionais se dividem entre os que têm família e costumam por isso ser bem mais responsáveis e levar uma vida muito mais estável e os que moram sozinhos, possuem um temperamento às vezes difícil, mas no trabalho tendem a se destacar por *insights* geniais. São pessoas que, embora costumem ter hábitos menos regulares, têm também uma disponibilidade de tempo muito maior.

Apesar disso, costumo preferir os de perfil mais equilibrado que o do gênio que adora parecer temperamental e que sempre está na iminência de ter um rompante qualquer e de repente decidir que ele absolutamente precisa passar seis meses pensando sobre a vida na Tailândia, em Bali, na Índia ou caminhando até Santiago de Compostela.

O essencial é gostar do que se faz: por melhor que seja a oportunidade que você tiver, se você não gosta do que faz, não faça. Por mais que eu tenha tido grandes decepções profissionais, todas foram sempre com pessoas, não com o negócio: foram com sócios, funcionários, diretores, clientes – nunca com o trabalho.

Foi isso que me impediu de me sentir em qualquer momento desmotivado: minha paixão pelo negócio da comunicação sempre se manteve inabalável. Gostar do que se faz é importante exatamente por isso: em qualquer dificuldade que se enfrente, a dificuldade acaba sendo sempre menor que a paixão pelo trabalho.

Um dos fatores que me mantêm tão apaixonado pelo que faço é que nunca um dia é igual a qualquer outro. Eu nunca completo uma agenda exatamente como estava programado: alguém como eu sempre precisa viver a sua vida e a de 22 clientes, de um número enorme de funcionários e de várias empresas ao mesmo tempo. É uma dinâmica que torna impossível qualquer momento de tédio.

Além disso, na minha posição, bem mais que numa indústria ou num banco, a sensibilidade das pessoas em relação ao meu estado de espírito é bem maior. Sendo presidente do maior grupo de publicidade do Brasil, hoje, e liderando mais de 700 funcionários, é inevitável que a percepção de meus funcionários em relação a como estou me sentindo nesse ou naquele dia seja bem mais precisa que a percepção, por exemplo, dos funcionários da Microsoft em relação a alguém como o Bill Gates. Inclusive porque muita gente que trabalha na Microsoft pode passar 30 anos sem nunca ter visto o Bill Gates pessoalmente.

Hoje, na Young & Rubicam, todo mundo me vê, todo mundo precisa me ver, eu preciso ver todo mundo: é uma relação muito mais constante e direta.

Minha presença é uma referência fundamental – mas não pode ser a única.

No passado, as agências passaram muito tempo concentradas no valor individual – e o que faz uma agência produzir e crescer não é nunca só um indivíduo; é a motivação dos profissionais. A empresa não pode começar a espirrar se eu estiver gripado.

A CORAGEM DE MUDAR

Às vezes, quem sabe parar, mudar, desistir, repensar e adotar um novo ponto de vista tem tanto talento – e tanto valor – quanto quem é um grande realizador.

Muita gente não tem coragem de abandonar seu emprego e partir para outro negócio – e fica infeliz onde está pelo resto de sua vida. É o caso da pessoa que acaba passando 20 anos na mesma empresa fazendo o que não gosta – quando podia ter tido muito mais sucesso em qualquer outro negócio.

Todo grande empresário precisa ser um grande realizador – mas, para realizar bem, precisa gostar do que faz. E não é sempre que se pode acertar a profissão ideal.

Um amigo meu, casado, costumava comentar que me admirava muito. 'Enquanto eu continuo infeliz no meu casamento de 25 anos', ele dizia, 'você já casou quatro vezes, está sempre renovando, sempre feliz...' Minha resposta era sempre a mesma: 'É porque você não gosta de casamento, eu gosto. Você só faz mais vezes aquilo que gosta!

No mundo dos negócios é igual. Geralmente as pessoas ficam com medo ou acomodadas ou receosas em ter de dar tanta satisfação para conseguirem tomar uma decisão simples. Para desistir de um casamento, você tem de dar satisfação à família, à sociedade, à igreja, aos filhos. Para desistir de uma carreira, você tem de dar satisfação aos colegas, aos amigos, aos chefes, às pessoas que estavam acostumadas à sua imagem ligada a determinada empresa eventualmente até a credores. Mas quando se trata da sua felicidade pessoal, a única pessoa a quem você deve qualquer satisfação é você mesmo. E a felicidade pessoal de toda pessoa passa pelo trabalho.

Eu sempre valorizei muito a estabilidade: quem diz 'eu sou ex-isso, ex-aquilo, ex-aquilo outro...' nunca vai ser ninguém. Mas não pode existir estabilidade sem alguma alegria ou pelo que se está fazendo ou pelo ambiente no qual se está trabalhando.

É muito comum ver publicitário reclamando da sua profissão. Ou porque o cliente não entende suas ideias, ou o atendimento pede tudo em cima da hora, ou a campanha não saiu como era ideal – tudo é motivo de problema, de queixa, de insatisfação. Toda pessoa tem o sagrado direito de não gostar do que faz – só não tem o direito de continuar a fazer o que não gosta.

Minha disposição de enfrentar um negócio novo e me dedicar inteiramente para ver até onde esse novo negócio poderia crescer provavelmente seja fruto dessa minha convicção de que não existe trabalho bem-feito sem paixão.

Quando sentir que não contribuo mais, que não sou mais útil a qualquer negócio, tenho certeza de que vou ter de novo a coragem de reconhecer minha disponibilidade – e ir embora.

Todo empresário precisa ter a visão e a lucidez de saber se enxergar em seu mercado – e a coragem de abandonar tudo, quando for preciso. Uma das lições mais difíceis e mais necessárias que se tem de aprender é como se tornar gradualmente desnecessário.

Quando escolhi o Silvio Matos como meu sócio na Young & Rubicam, estava decidido a fazer dele o maior empresário da publicidade brasileira. Era essa experiência que me interessava passar para o Silvio.

Como sempre, foi uma escolha mútua: eu escolhi o Silvio para essa posição invejável e ele também, com todas as propostas que tinha, escolheu o nosso grupo. Todo empresário – e, no nosso negócio, todo criador – está sempre cercado de opções e alternativas. Existe um mundo de oportunidades que se abrem, dia a dia, para todo bom profissional. Mas um bom profissional é melhor ainda quando sabe fazer a escolha certa.

Assim, o mundo dos negócios é feito de dois tipos de decisões: a de saber em que momento se deve aceitar alguma proposta e em que momento se deve desistir.

Quando decidi me separar do Eduardo Fischer na Fischer,Justus e recomeçar tudo outra vez em 1998, o que me impulsionava era basicamente o fato de que eu ganhava dinheiro mas não era feliz. Estava em uma sociedade com alguém que pensava de uma forma muito diferente da minha e que conduzia os negócios de um modo que nunca foi o meu. Certo ou errado, sua forma de tomar decisões, de pensar e de administrar tinha um estilo; um estilo muito diferente do meu.

Por isso resolvi agir – e lembro até hoje da última frase do Eduardo Fischer depois de meses de negociações terríveis e desgastantes. 'Agora que vamos competir no mercado, eu vou te destruir', ele disse. O tempo se incumbiu de dar a resposta.

Como na vida pessoal, a decisão de continuar ou não um casamento, uma relação ou uma amizade é sempre muito complexa, na vida profissional a decisão de aceitar ou não uma proposta, comprar ou não mais mercado, associar-se ou não a algum grupo e terminar ou não uma sociedade também deve ser decisiva.

O bom empresário é aquele que usa sempre toda sua experiência para aprender a decidir cada vez com mais rapidez. E cada vez melhor.

Quando comecei na Newcomm, minha primeira medida foi fazer um grande *workshop* com todas as pessoas que trabalhavam conosco para definir qual o objetivo de todos, não só o meu.

Eu fazia questão de ouvir as pessoas, conhecer suas aspirações, descobrir o que queriam – para que, em seguida, com uma assessoria de fora, nós passássemos a colocar em prática o que era o ideal de todos. E para que esse ideal se tornasse realidade da melhor forma possível.

O resultado desse *workshop* foi que as duas maiores ambições de todo mundo eram, pela ordem, ser feliz e ganhar dinheiro. Uma fórmula que só os mais inocentes podem considerar como uma redundância.

Sempre repeti que dinheiro não traz felicidade – mas certamente felicidade ajuda a trazer dinheiro.

O importante é realmente atentar para o fato de que o dinheiro era sempre mencionado após o desejo de felicidade. Todo mundo sabe como dinheiro pode ajudar a conquistar a felicidade para certas pessoas, mas o curioso é que, no interior do negócio, a felicidade era sempre mencionada antes.

Como o sonho de felicidade pessoal era anterior até ao da estabilidade financeira, eu mesmo comecei contando a todos qual era o meu ideal de uma agência saudável, feliz e na qual trabalhar pudesse ser uma alegria.

Desde cedo, eu sabia que não tinha vindo ao mundo a passeio. E estabeleci meu plano de carreira – e minhas metas profissionais – tendo em mente que o que mais queria era fazer alguma diferença em tudo a que me dedicasse.

E, para isso, a paixão pelo trabalho – especialmente a paixão pelo trabalho bem-feito – sempre foi essencial. Mesmo no trabalho, as pessoas deviam buscar o que dá mais prazer. Sempre.

A IMPORTÂNCIA DA INFORMAÇÃO

Ainda na mesma busca de tornar a agência que estivesse presidindo um local de trabalho o mais saudável possível, nós começamos também a promover encontros periódicos com os funcionários em que todos assistiam, por exemplo, a tudo o que estava sendo produzido – e ficavam a par de tudo o que estava sendo feito. Sempre considerei que não existe nada pior que alguém comentar alguma peça ou campanha que tivesse sido criada pela agência de alguém – e ele ainda não soubesse que a campanha era da sua agência (o que acontecia com mais frequência que se imagina).

É como no caso de alguma grande banda, que, quando resolve apresentar qualquer música nova num show, todos de sua equipe, evidentemente, já a conhecem – do iluminador e o cenógrafo ao produtor e o empresário.

Essa atualização constante de todos os setores da agência com tudo o que está sendo feito por todos cria um vínculo quase que direto de cada um com a empresa.

É um vínculo muito saudável: uma sensação de que todos realmente fazem parte de um projeto que é ao mesmo tempo maior que cada um mas que depende de cada pessoa. E não existe nada melhor para qualquer profissional que se sentir necessário.

Nesse momento, até uma secretária percebe que a campanha só ficou pronta e só pôde ser veiculada e elogiada e ter sucesso, porque ela marcou determinada reunião e, assim, sucessivamente, todos acabam interligados e integrados num processo no qual o produto da agência é realmente compartilhado.

Por isso, a principal engrenagem de toda grande empresa é a informação. Uma empresa precisa estar constantemente informada para se manter moderna e, internamente, precisa também informar a todos os seus funcionários sobre o que está fazendo para que possa se manter coesa.

É comum que a equipe de alguma agência seja convocada para ser informada de algo extraordinário que está para acontecer – ou que já aconteceu e ainda não foi noticiado. Mas isso não basta: é preciso transformar esse hábito de participar a todos algum acontecimento ou contratação importante num hábito corriqueiro, cotidiano.

E o motivo é o mais básico possível: não existe nada mais extraordinário e importante para uma agência que seu próprio trabalho – e esse deveria ser comunicado com a mesma urgência e solenidade com que se anuncia qualquer premiação.

Da mesma forma, nenhuma empresa pode se dar ao luxo de concentrar as decisões na cúpula sem que ninguém pelo menos entenda – ou saiba – o que está se passando.

Se algum dia alguém chamasse um profissional qualquer – de atendimento, planejamento ou criação – e dissesse: ‘Olha aqui, neste ano nós não podemos nem pensar em ser agressivos; vamos abrir mão de prospectar e buscar novas contas’, seria preciso explicar também os motivos que levaram a empresa a adotar essa política no momento em questão.

É preciso apresentar os fatos concretos, as razões, a estratégia. Muitas vezes eu sou acusado até de falar demais para alguns funcionários. É uma acusação que não chega a me incomodar muito.

Até quando os aviões atacaram o World Trade Center no 11 de setembro, eu convoquei uma reunião geral, por iniciativa do RH, para explicar minha visão sobre tudo aquilo e de que forma, a meu ver, todas as questões internacionais poderiam influenciar nossa vida empresarial em moldes até então inéditos.

Hoje em dia, fala-se muito em transparência. Mas eu sempre acreditei que a verdadeira transparência não se limita à ética – ser transparente implica também partilhar informações, dividir valores, ouvir o outro lado.

Especialmente no mundo dos negócios, é preciso ter em mente o tempo todo que a transparência é uma qualidade relacionada não só à idoneidade da postura de cada empresa, mas principalmente à sua capacidade de garantir o fluxo das informações. E toda agência não cresce só porque aumenta sua carteira de clientes ou consegue bons resultados; cresce pela sinergia entre os profissionais envolvidos no futuro do negócio. É importante perceber que esse envolvimento é uma forma de compromisso – e que não existe nada melhor para qualquer negócio que o compromisso dos funcionários com os valores da empresa em que trabalham. É a melhor forma de fazer com que os sonhos individuais de cada um coincidam com os sonhos de toda empresa. Porque a melhor empresa é aquela que imagina um futuro exatamente do mesmo modo que seus funcionários.

Por isso, num negócio como o da publicidade, é preciso antes de tudo saber comunicar o que seus clientes querem – mas talvez seja ainda mais importante saber se comunicar com as pessoas com quem você trabalha.

Minha política de fortalecer e priorizar nosso departamento de RH de uma forma que é muito rara entre as agências é consequência dessa minha noção de que o vínculo entre os funcionários de qualquer empresa é fundamental.

É claro que o RH existe para cuidar do departamento de pessoal e de questões como aumento de salário e de benefícios – mas, muito mais que isso, eu acredito que o RH ideal deve principalmente descobrir novas formas de estreitar a relação entre o funcionário e a empresa.

É possível que na Microsoft muita gente não tenha a mais remota idéia de quem é o Bill Gates – e que aqui mesmo, no Brasil, existam pessoas entre as 60 mil que trabalham no Bradesco que nunca tenham visto o Márcio Cypriano. Num negócio como o nosso, é inconcebível que meus 600 funcionários não saibam quem eu sou, no que acredito e o que eu estou fazendo.

É bem provável que neste exato momento, algum funcionário meu esteja negociando custos com algum fornecedor, outro esteja com algum cliente apresentando ideias, outro esteja comentando pelo telefone com um amigo alguma campanha nova: quanto mais informado cada profissional estiver, quanto mais orgulhoso puder estar do nosso negócio – que também é o seu negócio –; e quanto mais confiança tiver, enfim, em quem está dirigindo a empresa, melhor para a agência.

Afinal, uma agência não produz só muito mais quando está bem informada – produz também muito melhor.

Desse modo, a base da autoridade de qualquer presidente ou qualquer diretor num negócio como o da comunicação é sua capacidade de se comunicar com todos. Do *office-boy* ao cliente.

Foi por isso também que durante um bom tempo nós adotamos um outro tipo de *workshop* que era baseado na estrutura do programa *Roda Viva*, da TV Cultura.

Havia sempre uma alternância na qual eu e, posteriormente, vários outros diretores nos sentávamos no centro de um círculo e respondíamos a tudo o que tivesse relação com o trabalho. Perguntas pessoais só eram respondidas se tivessem ligação direta com algum problema ou alguma conquista da agência (como se a circunstância de caráter pessoal de que eu estivesse namorando uma pessoa famosa pudesse beneficiar ou prejudicar a empresa, ou o fato de que se eu eventualmente aparecesse demais em certos veículos de mídia fosse algo que poderia, afinal, realmente comprometer ou não o negócio).

Nessa roda-viva que fazíamos, era permitido falar de tudo: salário, aumento, suspeitas, fofocas, dissídios, o que fosse. Mas nem tudo era livre: eu logo percebi que, para tudo funcionar como devia, certas regras deveriam ser seguidas.

Primeira regra: como era um *workshop* em que não estava em julgamento a capacidade de ninguém, eu não permitia que fossem feitas brincadeiras pelo caráter supostamente mais ou menos inteligente de alguma pergunta. A função de nossa conversa era fazer com que nos conhecêssemos mais e nos atualizássemos sempre – não era nunca estabelecer qualquer tipo de avaliação.

Segunda: nenhuma pergunta feita poderia ser usada contra ninguém. Todo mundo tinha o direito de perguntar o que quisesse.

Terceira: quem fizesse alguma pergunta que eu não pudesse ou não soubesse responder receberia a resposta por e-mail, depois que eu tivesse me informado mais sobre o tema ou consultado quem fosse sobre a possibilidade de revelar certos dados. Ninguém ficaria sem resposta. E o e-mail poderia ser copiado para todo mundo.

Eram regras que, ao invés de estabelecer mais limites, só asseguravam mais a liberdade de cada um perguntar o que quisesse: era fundamental que, se estávamos dispostos a realizar um *workshop* como esse, tudo deveria ser aberto. Uma empresa não sobrevive de segredos.

O formato era literalmente o do programa: eu me sentava numa poltrona giratória e era bombardeado durante mais ou menos duas horas por 150 ou 200 pessoas. Eu comentava informações e decisões como se estivesse conversando com algum sócio – só respeitando, é evidente, a privacidade de certos dados.

Nada mais verdadeiro que a convicção de que a vida é feita de três elementos básicos: oportunidade, talento e sorte. Sem pelo menos um desses três elementos, ninguém consegue ter sucesso. Se a pessoa não tiver talento, não vai conseguir aproveitar a oportunidade; e se não tiver sorte, a oportunidade pode não chegar nunca. Mas, seja no grau que for, para todo mundo em algum momento a oportunidade sempre chega.

Não consigo imaginar a vida de alguém que tenha passado inteiramente sem ter tido nenhum momento de oportunidade. O que vejo, com muito mais frequência, são as pessoas que não conseguem ou não sabem ou até mesmo não querem aproveitar sua grande oportunidade, o momento certo. Para mim, a dança da oportunidade e da sorte sempre teve contornos muito precisos.

Mas para aproveitar qualquer oportunidade, é preciso saber enxergá-la. Nesse sentido, eu sempre recomendo a todo profissional que esteja antenado e ligado – como naquela expressão do *be wired* – a todos os detalhes que interessam.

Porque, muitas vezes, a grande diferença entre os profissionais está na capacidade de cada um perceber os pequenos detalhes. Para descobrir a oportunidade certa, é preciso toda informação possível.

FORMAS DE SUCESSÃO

Um ponto sempre discutido – e sempre delicado – é o da sucessão nas empresas. Por mais que considere meu filho uma pessoa capaz e extremamente profissional, não desejo de forma alguma que ele tenha de enfrentar o peso e a carga de suceder seu pai num negócio que não foi feito por ele. Nosso patrimônio é intelectual e não é um patrimônio mensurável como o de alguma indústria: nosso *good will*, por isso, são nossas contas e a nossa capacidade de criar ideias e fazer o negócio de nossos clientes crescer.

É um patrimônio que constitui uma herança difícil.

Por mais também que respeite as famílias que puderam contar com segundas e terceiras gerações de gente competentíssima, que não só assumiu o comando dos negócios mas dobrou ou triplicou o faturamento da empresa que herdou, o caso representado pelo provérbio 'pai rico, filho nobre, neto pobre' é também infelizmente muito frequente.

É algo que eu não quero nem posso deixar que aconteça na minha vida empresarial, independentemente do quanto confie em meus filhos e nas suas capacidades. O problema é que um negócio como o nosso possui muitas particularidades. E sempre acreditei que envolver a família em empresas é algo delicado demais (como ficou provado no caso da sucessão de determinadas agências).

É claro que não posso penalizar ninguém por ser meu parente – mas por outro lado, a facilidade do parentesco cria por si só um grau de exigência que se torna muito mais rigoroso que qualquer outro.

O critério para se escolher um novo sócio foi algo que eu também aprendi com os erros do mercado. Eu sempre achei que o Roberto Duailibi nunca deveria ter perdido a chance de ter convidado o Washington Olivetto ou o Nizan Guanaes para serem seus sócios na DPZ. A maneira de formar, manter e descobrir o cargo certo de qualquer talento numa empresa é uma responsabilidade empresarial e social. É uma responsabilidade minha, como presidente de um grupo, em relação a todos meus funcionários e em relação ao próprio futuro do negócio.

Porque, se um de meus projetos pessoais – que evidentemente posso acabar revendo – é poder parar aos 55 anos, preciso construir uma grande empresa até chegar a essa idade. E a questão da sucessão é parte fundamental nessa construção.

UM PATRIMÔNIO

No negócio de prestação de serviços, o único patrimônio que se tem é gente. É possível alugar escritórios e começar uma empresa com um investimento pequeno, mas não se deve usar recursos de terceiros para financiar prestação de serviços. É imperdoável – e suicida – ficar devendo a banco para pagar salário.

No caso de uma indústria, é possível até contrair dívida em banco para comprar uma máquina que vai gerar faturamento; no setor de serviços, é uma operação com um risco alto demais para que possa ser sequer cogitada.

TRÊS TIPOS DE PLANOS

Se você vai viajar para qualquer lugar, o mínimo que tem de conhecer é o caminho mais curto. Muita gente não sabe nem planejar um roteiro minimamente sensato de viagem.

Algumas pessoas que podem se dar ao luxo de passar férias na Tailândia, por exemplo, durante muito tempo costumavam insistir em chegar a Bangcoc por Nova York, o que era um evidente contra-senso: quem vai até a Cidade do Cabo e sobe até a Ásia pela África percebe que é muito mais perto – e o trajeto se torna, assim, bem mais racional.

Saber fazer um plano de viagem, de vida ou de carreira é muito parecido. Do mesmo modo que as pessoas muitas vezes não sabem viajar, repetindo roteiros conhecidos, mas sem sentido, muitas vezes elas também não sabem programar suas decisões, repetindo ideias consagradas que não passam de clichês.

DOIS TIPOS DE CÍRCULOS

Eu sempre afirmei que prefiro viver num círculo virtuoso que num círculo vicioso. O círculo virtuoso é o que começa na certeza de alguém que sabe que presta um bom trabalho; em seguida que sabe também que precisa de bons profissionais a seu lado para continuar prestando um bom trabalho; que continua com a política de cobrar do cliente um valor compatível com a qualidade do trabalho que está sendo prestado.

O bom trabalho vai gerar vendas e faturamento para o meu cliente; as vendas e o faturamento do meu cliente vão gerar investimento em publicidade; o investimento em publicidade vai gerar receita para a minha agência e eu vou poder contratar mais gente capacitada e ter mais estrutura para poder continuar o ciclo. Sem profissionais competentes e sem estrutura, não posso fazer um bom trabalho; o cliente não vende e minha verba não vem. Tentar conseguir milagre com um custo baixo e pessoas sem nível é a receita do círculo vicioso.

ADMINISTRANDO GENTE

Administrar pessoas num negócio como a publicidade não é fácil. A maioria dos profissionais, sempre pressionados a apresentarem boas ideias o tempo todo, acaba desenvolvendo alguns mecanismos de defesa – seja em relação às suas próprias fragilidades, seja em relação à angústia do *deadline*.

Por isso, tive de desenvolver meu próprio *know-how* para tentar manter os talentos que trabalham conosco e tentar extrair de cada um o melhor que podem oferecer. E isso foi fruto de um amadurecimento e de uma atenção contínua em suas reações, sua linguagem e suas formas de pensar. São pessoas que pensam um pouco diferente da forma usual e que vivem numa realidade igualmente diferente da minha, por exemplo, que tende a ser mais cartesiana.

O ponto mais importante para qualquer empresário que tiver de administrar pessoas tão diferenciadas se resume a uma conquista básica: sua equipe precisa se sentir segura com você. Para isso, certo ou errado, você precisa falar o que pensa, o que acredita – o que é uma atitude fundamental para relações de longo prazo.

No nosso ramo de negócios isso é ainda mais importante que em qualquer outro na medida em que trabalhamos com um tipo de gente especial: gente muito talentosa e que precisa saber se manter talentosa mesmo enfrentando grandes pressões de desafios e prazos.

A personalidade, o perfil, o pulso, o *punch* de toda empresa são resultado da combinação entre o reflexo, no pessoal, do comportamento de seus diretores.

Se você é capaz de passar alguma segurança, eles se sentem seguros. Se você reconhece o talento de cada um, eles se sentem recompensados. Eles se sentem motivados se percebem que você está genuinamente motivado.

E, quando a empresa estiver passando por algum problema sério, é para você que eles vão dirigir o olhar, mesmo que involuntariamente: o diretor de uma empresa é, de certo modo, o termômetro mais imediato de sua situação. Se você se mostrar inseguro ou fraco, todas as pessoas contratadas vão ficar desesperadas. Em muitos momentos, a administração de uma empresa não é só um problema técnico ou pessoal – é um desafio moral.

Com meu potencial de homem de negócios, é bem provável que, se tivesse direcionado minha carreira para outro ramo, estivesse muito, muito rico. Mas o verdadeiro sucesso não se mede só pela riqueza ou pelo dinheiro. O verdadeiro sucesso é medido pela qualidade do trabalho, pela ética que deve marcar sua condução e pelo prestígio que pode conquistar entre seus pares.

ADMINISTRANDO PROJETOS

Eu estaria mentindo se afirmasse que minha empresa sempre entregou exatamente tudo o que prometeu. É normal, numa estratégia de *marketing* empresarial ou pessoal, que certas premissas acabem um pouco exageradas. Mas o que eu sempre tentei fazer – e me esforcei muito para isso, durante toda minha vida profissional – foi aproximar ao máximo o que foi prometido do que foi entregue. É claro que, como todo mundo, muitas vezes eu também tento fazer tudo parecer um pouco melhor do que realmente é. Mas existem limites para essa espécie de técnica – e os limites são os da honestidade e os da responsabilidade.

Na própria administração dos projetos, é preciso muito bom senso – não só para saber conduzir a equipe no sentido que parece o mais eficiente em termos de comunicação mas inclusive para avaliar o que é possível entregar. E essa condução deve ser toda baseada nos melhores argumentos que se conseguir encontrar. Do contrário, é provável que as pessoas só se sintam obrigadas a cumprir o que foi pedido porque quem pediu foi o chefe – o que é o pior motivo do mundo para qualquer pessoa se dedicar a qualquer projeto.

O cálculo do que é possível entregar com a estrutura que se tem e no prazo que foi estipulado também é fundamental. Melhor completar dois projetos muito bem-feitos que entregar seis incompletos.

Na vida empresarial, nem tudo sempre vai bem; muito pelo contrário, a maioria dos empresários, executivos ou profissionais liberais passa grande parte de seu tempo justamente resolvendo problemas.

É um quadro que se repete em vários setores: se vou ao dentista, por exemplo, o que vejo é um profissional que é pago para resolver problemas dos dentes e da boca de seus clientes – e a diferença entre o bom e o mau dentista está na agilidade, na inteligência e na rapidez com que é capaz de resolver os problemas específicos de cada cliente. Com o médico, a situação é a mesma;

engenheiros e arquitetos têm de se concentrar muito até para fazer um projeto se tornar factível e realizado. O negócio de comunicação não é diferente: o publicitário é um profissional que se especializa em criar opções, apresentar planos, propor ideias e imaginar soluções que possam alavancar o negócio de seus clientes.

FAZENDO CONTAS

Para manter qualquer estrutura empresarial saudável, o melhor a fazer são contas de bar. Isso porque a única certeza que se tem em qualquer empresa estruturada é a despesa; a mais incerta é a receita.

Por isso, independente de qualquer eventualidade, o único número com que se pode contar é o que define o valor da despesa: se tomar o valor geral, por 30 dias, da despesa de uma empresa e se dividir por 30, já se tem o valor que a empresa custa para funcionar durante as 9 ou 10 horas que duram a jornada de trabalho. A despesa variável ainda é controlável porque só vai incorrer quando se decidir que é necessária; a despesa fixa é uma realidade que toda empresa deve manter com muita precisão sob controle – porque as únicas medidas plausíveis para saldar descontroles no custo fixo são sempre medidas terminais.

Outro problema a ser considerado é que o *break even* de uma agência – ou seja, o faturamento que deve ser gerado para empatar a receita e a despesa – é muito alto.

Nosso grupo tem mais de 700 funcionários – e 700 funcionários em publicidade equivalem talvez a 5 vezes esse mesmo número numa empresa qualquer, porque o salário médio de um publicitário é muito maior que o do operário numa indústria, de um lojista ou um bancário. Se 700 pessoas acabam equivalendo, desse modo, a pelo menos 3.000 de alguma outra empresa, é fácil ter uma noção de tudo o que representa a folha de pagamento de uma grande agência.

Além de tudo, por mais que a profissão de publicitário seja muito respeitada pelos anunciantes, eles ainda não têm a cultura de respeitar na medida correta tudo o que um publicitário pode aferir de resultados e faturamento.

Tudo isso talvez seja até resquício de certa resistência que a propaganda acabou herdando, pelo fato de que, no passado, as pessoas costumavam considerar todo publicitário um simples vendedor de espaços, alguém que não merecia o mesmo prestígio ou o mesmo reconhecimento de alguém que efetivamente produzia ou realizava algo tangível.

Hoje, por mais que a publicidade movimente bilhões de dólares de negócios dos clientes, a discussão tem se concentrado mais sobre quanto se pode cortar da comissão da agência – o que, se não for injusto, é, no mínimo, equivocado.

Quando comecei na publicidade, ainda existia a lei 4.680, que nos amparava e resguardava as negociações. Depois da abertura de mercado e de todas as mudanças desses últimos anos – sobre as quais, aliás, não tenho nada contra – explodiu uma verdadeira guerra de negociação entre as agências e os clientes em relação às comissões.

Muitas agências, incapazes de valorizar seu trabalho ou agindo quase que por desespero, acabaram abrindo muitas concessões e baixando muito as taxas, tornando-se verdadeiras predadoras do mercado, não respeitando o CENP* e fazendo com que o negócio já não continue tão saudável para agências mais bem estruturadas e para grandes profissionais.

A situação é parecida com a dos bancos que, após o final da era da inflação, tiveram de se adaptar a um novo modelo de rentabilidade e a um novo perfil de cobrança, prestando muito mais atenção que antes em seus custos e tornando sua estrutura de funcionamento e pessoal muito mais compacta e barata.

---

*Conselho Execuivo das Normas Padrão, órgão criado para estabelecer referências de remuneração após a lei 4680.

Mas para a publicidade a situação foi diferente: o maior paradoxo de toda essa situação é que, embora as margens das agências tenham despencado brutalmente, seus profissionais não aceitaram diminuir seus salários.

Os grandes criadores, que são realmente os que mais pesam na folha das agências, continuam ganhando o mesmo salário de antigamente ou, muitas vezes, até mais – o que faz com que as agências, sem conseguirem manter a mesma rentabilidade e a mesma margem, continuem com seu mesmo custo fixo.

Para dar uma ideia um pouco mais aproximada da situação, é só pensar que o maior item de custo de uma agência é a mão-de-obra, ou seja, são os salários e seus encargos – encargos que representam, no Brasil, o absurdo de 60% a 70% do valor total de seus custos. Não foi o bastante para que o mercado de alguma forma se sensibilizasse.

O que isso tudo provocou foi uma desunião ainda maior num mercado que já tinha muita tendência para o isolamento e a cisão, alimentados por uma dose desproporcional de vaidade, ciúme, deslealdade e fofoca. Esse é um dos aspectos mais difíceis na carreira da publicidade e que qualquer pessoa que se decidir pela propaganda precisa estar pessoalmente preparada para enfrentar. Toda a discussão sobre o CENP* é resultado de uma tentativa de redesenhar um ambiente de trabalho um pouco mais equilibrado e que pelo menos lembre o do período da lei 4.680.

Outra dificuldade para a qual as pessoas também precisam estar preparadas é a atual dificuldade de se repor clientes. Quando se atinge o patamar de uma empresa do tamanho da nossa, são poucos os clientes que estão disponíveis ou procurando alguma agência, no caso de que por qualquer eventualidade nós possamos perder alguma das nossas contas. Existe um padrão contratual de mercado que estipula 60 dias de aviso prévio para qualquer desligamento – mas para repor a perda da receita é preciso no mínimo (e no melhor dos casos) de seis meses a um ano. E é uma reposição que depende diretamente da oportunidade de algum negócio.

UMA QUALIDADE FUNDAMENTAL: A FRANQUEZA

Jack Welch sempre defendeu o quanto ser franco é importante. Na minha vida pessoal e profissional, minha franqueza pode ter me custado um pouco – mas nunca consegui me relacionar, fosse com quem fosse, sem que dissesse exatamente o que estava pensando e sentindo na hora.

Um caso, nesse sentido, se tornou exemplar.

Certa vez, fui apresentar com minha equipe de criação uma campanha para a Brahma que deveria incluir, entre várias outras peças, um comercial para TV.

Como não tinha tido tempo de acompanhar tudo o que a criação tinha preparado, fui direto para a reunião e passei a acompanhar a apresentação praticamente junto com o cliente.

A equipe apresentou a campanha impressa e todo o material que havia sido pedido, deixando mídia eletrônica para o fim. E, finalmente, eles projetaram o comercial que tinham criado e produzido.

O filme era grotesco.

Mostrava uma série de cenas de pessoas que dançavam – e que culminava na imagem do Cristo Redentor muito animado, dançando também. Quando vi o comercial, fiquei estarrecido.

Após sua exibição, houve uma pausa curta. O cliente virou-se para mim.

'Roberto, o que você achou do comercial?', ele perguntou.

Eu podia perfeitamente ter contemporizado. Eu podia ter respondido com alguma evasiva. Eu podia ter tentado ser um pouco político. Minha reação foi ligeiramente mais enfática.

'A pior coisa que minha agência já criou', eu respondi.

Senti do outro lado da mesa o olhar do meu sócio me fuzilando. Outras pessoas da minha equipe se entreolhavam ou tentavam adivinhar que rumo a reunião podia tomar, examinando o rosto dos clientes. Finalmente, um dos diretores do cliente se pronunciou.

'Roberto, você acaba de salvar a conta para a sua agência e ganhar a chance de apresentar mais uma campanha.' Nessa altura, quem estava apreensivo ou indignado respirou aliviado.

Por isso, sempre que estou saindo para alguma reunião e não pude ver, por qualquer motivo, os trabalhos que vão ser apresentados para o cliente, se alguém do meu próprio grupo me pede – 'Roberto, se você não gostar, não comente'– eu sempre respondo – 'Então é melhor eu não ir.'

No meu caso, inclusive, minha franqueza nem chega a ser algo que acabei adotando por acreditar que seja uma qualidade importante – como acredito. No meu caso, é o meu próprio jeito. Nunca consegui reagir a nada sem que fosse absolutamente sincero: é como uma reação instintiva. Não posso reclamar.

Ser franco é algo que tem me feito muito bem nas relações pessoais. E não posso me queixar também de seus efeitos em minha vida profissional.

UM CASO EXEMPLAR: AS CASAS BAHIA

Talvez o momento mais dramático de minha carreira, nesse sentido, tenha sido também o mais exemplar. Desde que comecei a trabalhar em propaganda tive grandes sucessos, pude comemorar grandes conquistas – e vivi também, é natural, grandes perdas.

O importante, seja em momentos de vitória ou derrota, é ter sempre em mente que toda conquista, mais do que comemorada, precisa ser mantida – e, para ser mantida, deve ser reconquistada a cada minuto num dia-a-dia junto ao cliente que precisa ser inovador, surpreendente e estimulante. É também fundamental perceber que toda perda, mais que um trauma ou uma derrota, pode sempre representar uma oportunidade nova.

Repor clientes de menor porte é evidentemente muito mais fácil que recuperar grandes clientes; não é raro presenciar agências importantes passarem por períodos longos de sérias dificuldades por terem perdido um cliente de grande porte.

Eu mesmo, na época da NewcommBates, vivi diretamente esse problema com a perda de uma conta que era vital para a agência: a do Mappin.

Durante toda minha vida, eu sempre fui uma pessoa movida por grandes paixões. Detestar algo também é uma paixão – e das mais poderosas. E não existe nada que eu deteste tanto quanto perder.

Eu detesto perder certas discussões, eu detesto perder qualquer jogo, eu detesto perder no tênis, eu detesto perder até na tranca. Na minha vida empresarial, da qual tantas pessoas dependem, perder sempre me pareceu ainda mais insuportável. Mas é importante não se esquecer de que não se ganha sempre.

Quando o empresário Ricardo Mansur comprou o Mappin, ele herdou como agência a Calia Assumpção.

Era uma boa agência, com um trabalho sério e competente, mas cujo perfil era o de uma agência de publicidade tradicional, protocolar – o contrário do perfil do Ricardo, um empresário arrojado e inteligente, que acabou pagando muito caro por isso.

Como empresário, ele sempre quis desenvolver alguns projetos comercialmente mais radicais – e decidiu criar um evento que acabou reconhecido como a maior liquidação da história do varejo no Brasil; talvez no mundo.

O Ricardo alugou o Anhembi por cinco ou seis dias no início do ano, época em que a agenda do pavilhão é muito concorrida. Para quem considerar que, dos cinco ou seis dias do evento, pelo menos dois devem ser reservados para a montagem e a desmontagem de tudo, o prazo assume uma proporção evidentemente alucinada.

Mas eu já conhecia socialmente o Ricardo e soube que ele estava procurando alguém tão alucinado quanto ele – alguém que aceitasse realizar seu evento. Disse a ele que eu toparia.

O Mercadão Mappin, como foi chamado, era um mega evento de alto risco que, entre seu projeto e sua execução, movimentaria praticamente duas mil pessoas nos bastidores. Sua proporção era gigantesca em tudo: a liquidação acabou incluindo até mercadorias que não eram só do Mappin, já que o evento extrapolou radicalmente o tamanho e a capacidade da empresa para escoar seus produtos.

Como foi realizado logo após o Natal, tanto as empresas quanto as lojas estavam muito interessadas em liquidar os estoques que haviam sobrado. Não se aceitavam mercadorias com menos de 30% de desconto – numa faixa que, muitas vezes, atingia os 70% de abatimento.

Além disso, muitas mercadorias eram vendidas 'no estado', conforme o jargão que define o produto com qualquer defeito pequeno de fabricação – e que, por isso mesmo, não pode ser vendido pelo preço normal. É fácil imaginar a reação dos consumidores quando descobriram que muitos produtos com os quais sempre tinham sonhado estavam sendo liquidados de forma tão acessível.

Foram oferecidos milhares de itens com 250 *check-outs* – possivelmente nenhuma loja no mundo jamais possuiu uma quantidade comparável de *check-outs* só para evitar que as pessoas ficassem esperando.

A operação de logística era monstruosa: qualquer produto que esgotasse tinha de ser reposto imediatamente. Centenas de monitores cuidavam das crianças cujos pais preferiam resguardar num espaço reservado; um circo apresentava ininterruptamente de 10 a 12 shows por dia, num ciclo de exibições que culminou numa apresentação grandiosa de Roberto Carlos, assistida por quase 100 mil pessoas – numa feira que oferecia até automóveis e movimentou 700 mil pessoas em três dias.

Minha agência na época, a NewcommBates, já tinha nascido com o ideal e a vocação do que era conhecido como comunicação integrada – isto é, uma oferta de serviços que não se limita só à publicidade, mas inclui vários desdobramentos promocionais para eventos ou *merchandising*. Nenhum exemplo poderia ser mais expressivo da aplicação desse ideal de comunicação que o Mercadão Mappin – que incluiu desde shows até *marketing* direto.

Além de produzir toda a feira no prazo estipulado, nós criamos até uma campanha muito interessante sobre o evento (embora a agência do Mappin fosse a Calia, como nesse caso o evento era nosso, nós também

acabamos responsáveis pela criação de sua campanha).

Seu tema musical era baseado num ritmo de carnaval e sua assinatura agradecia à cidade de São Paulo 'por ter comprado, por ter vindo, por ter acreditado' – e nada era mais exato. O evento – um sucesso estrondoso – revigorou completamente a imagem do Mappin.

No último dia, o Ricardo Mansur veio até mim. 'Você realmente conseguiu fazer do meu sonho uma realidade, Roberto', ele disse. E foi falando em sonhos – e em realidade – que logo em seguida ele me entregou a conta do Mappin.

Ele havia percebido que precisava de bem mais que simplesmente uma agência de publicidade e que o pessoal da Bates se diferenciava justamente por não pretender trabalhar só como mais uma equipe de publicitários. O Mappin ficou conosco por dois anos.

Os problemas começaram quando o Ricardo Mansur decidiu comprar a Mesbla – o que, na minha opinião, talvez tenha sido uma má opção.

Foi uma aquisição que o colocou numa situação muito difícil, e as duas agências que atendiam o Mappin e a Mesbla – nós e a DM9 – acabaram sendo postas numa situação igualmente delicada.

No estado em que estava tudo, o Mappin e a Mesbla não podiam mais se dar ao luxo de manter duas agências e não demorou para que eles nos informassem de que só manteriam uma delas – e que não pretendiam continuar a trabalhar com comissão, como era o caso conosco. 'Nós queremos trabalhar agora com *fee*', nos avisaram.

Eu fiz uma conta simples e ficou evidente que, numa remuneração por *fee*, as vantagens financeiras de poder contar todo mês com um fluxo de caixa garantido permitiam oferecer um desconto no volume global da negociação. A matemática da DM9 foi ligeiramente mais apurada e muito mais agressiva que a minha – e a conta acabou ficando com a DM9 e o Nizan.

Pouco tempo depois, eu encontrei o Nizan e comentei que a DM9 era considerada a melhor agência do Brasil, ao passo que a NewcommBates estava só recomeçando e, com dois anos de existência, não poderia ser comparada, em termos de imagem, ao perfil que a DM9 havia merecidamente conquistado. Eu disse que poderia até recomendar ao cliente que ficasse com a DM9, mesmo que pagasse um pouco mais, exatamente por sua imagem e seu prestígio – mas que, já que ele havia decidido cobrar menos, eu não poderia nem cogitar de competir.

Quando fui conversar com o Ricardo Mansur, ele ficou bem constrangido porque gostava muito de nós – mas disse que não havia mais nada a fazer.

Quando desci pelo elevador do escritório do Mappin até o térreo com meu ex-sócio Aluísio Guimarães, o percurso parecia interminável. Tudo dava a impressão de uma longa despedida em câmera lenta. O próprio elevador não passava por quase nenhum andar sem parar para algum outro passageiro e durante todo esse tempo a perspectiva de tudo o que me aguardava parecia ir se agravando cada vez mais.

Nós ficamos tão abalados que quando paramos no café que ainda existia bem embaixo do prédio do Mappin, na Avenida Faria Lima, em São Paulo, eu só conseguia me perguntar – cada vez mais ansioso por não conseguir imaginar resposta nenhuma - como nós iríamos voltar para a agência e comunicar à nossa equipe que 40% do nosso faturamento total iria ser cortado dali a 60 dias.

Estávamos em outubro. Ia ser difícil comemorar o fim de ano.

Era fundamental que a agência não perdesse o ânimo porque ainda tínhamos contas muito importantes, como a BCP e várias outras. E, de repente, eu me lembrei de um encontro.

Fazia alguns meses, eu tinha encontrado um amigo meu que havia me perguntado se eu não queria conhecer o pessoal das Casas Bahia, empresa que ele sabia estar relativamente insatisfeita com o perfil da agência que os atendia, que era uma *house agency.* Como na época eu atendia o Mappin, recusei. Agora o Mappin não era mais nosso.

Eu sempre acreditei que trocar em plena operação um cliente de grande porte por outro de porte maior, como alguns empresários às vezes decidem fazer, é uma decisão um pouco mesquinha e muito desleal. Em alguns cenários de confiança e fidelidade mútua – como iria se tornar minha relação com as Casas Bahia –, a opção é até impensável.

Mas o Mappin não era mais nosso – e as Casas Bahia poderiam estar interessadas pelo menos numa apresentação. Eu não perdi tempo. Telefonei no mesmo instante para o meu amigo e perguntei se ele ainda poderia me colocar em contato com os Klein.

'Como assim, você não tem o Mappin?', ele me perguntou. 'Não tenho mais', eu respondi – e me surpreendi ao perceber que de repente a resposta soou muito menos abatida do que deveria. Eu não me sentia mais alarmado – me sentia estranhamente entusiasmado.

Por uma coincidência que, se não tivesse acontecido comigo mesmo eu jamais acreditaria, meu amigo me contou que tinha acabado de checar – e eles continuavam descontentes com sua agência própria.

Eu tinha sido convidado para participar do evento de tênis anual que acontece todo mês de novembro em Itaparica. Como sempre, encontrei muita gente conhecida, e fui apresentado a algumas que ainda não conhecia. Uma das pessoas que conheci e a quem não tinha sido ainda apresentado foi o Saul, filho do Samuel Klein.

Eu contei a ele minha experiência com varejo, atendendo o Mappin na Bates e o Ponto Frio – o grande concorrente das Casas Bahia – na Fischer,Justus. Queria saber se haveria a possibilidade de a gente tentar fazer pelo menos uma apresentação. 'Vamos falar, vamos falar', o Saul respondeu.

Nós continuamos falando – e 40 dias depois eu fiz uma apresentação histórica nas Casas Bahia, com uma equipe que tinha plena consciência da importância da conta para a agência – e para cada um de nós.

Uma tradição muito forte nas Casas Bahia é o fato de que toda segunda-feira o Samuel Klein almoça não só com seus diretores mas inclusive com seus fornecedores importantes. Pouco depois da apresentação, ele mesmo me avisou: 'Roberto, na próxima segunda vamos colocar mais um lugar na mesa'. No fim daquele ano, eu não tinha mais o Mappin – mas tinha ganhado uma nova conta. E novas companhias para o almoço das segundas-feiras.

Quando volto a analisar todo o raciocínio que serviu de base à apresentação, fica mais ou menos evidente que o que mais encantou a diretoria das Casas Bahia era uma constatação simples: embora uma empresa de sucesso como as Casas Bahia pudesse estar descontente com a sua comunicação, não fazia sentido propor nenhuma modificação mirabolante ou estrutural na forma como comunicavam sua marca ou anunciavam seus produtos.

Várias outras agências já tinham apresentado planos que começavam sugerindo que as Casas Bahia fechasse sua *house agency* e implantasse novos métodos de trabalho.

A última coisa que as Casas Bahia precisavam, a meu ver, era de um tipo qualquer de revolução em sua linha de comunicação. O que precisavam era evoluir em alguns pontos – não inverter, alterar ou transformar tudo.

Quem disse que em time que está vencendo não se mexe tem toda a razão do mundo. Mas não mexer não quer dizer não melhorar.

Eu sempre repeti – até num dos comentários que faria, anos depois, em um dos episódios de *O Aprendiz* – que 30 segundos de um anúncio incompetente e 30 segundos de um anúncio brilhante custam exatamente o mesmo preço. A diferença é que o anúncio incompetente precisa ser veiculado durante muito mais tempo. Com o volume de veiculação que sempre caracterizou o varejo, essa diferença se torna muito mais decisiva.

Uma campanha de varejo indiscutivelmente histórica mas que acabava irritando muito as pessoas era a das Casas Buri. Não havia consumidor que não fosse o tempo todo bombardeado por aquele 'Buri, Buri, Buri' que acabava martelando a memória de cada um até a exaustão. O *recall* é inevitável – mas é um *recall* que funciona quase a contragosto. As pessoas costumam acreditar que, seja como for, esse tipo de campanha acaba sendo eficiente e que é sempre infalível. Não é.

Com um terço do investimento e uma campanha mais inteligente o cliente teria conseguido o mesmo efeito. É uma conta que pode ser conferida na ponta do lápis – e no talento da criação.

A comunicação para o setor do varejo tem regras muito específicas – e, com um cliente como as Casas Bahia, qualquer planejamento precisaria ser pensado com todo cuidado. Nossos ajustes respeitavam não só o *timing*, a filosofia e a estratégia da empresa, mas principalmente a equipe da *house* que atendia a conta, a Interjob.

E, em seguida, passamos a integrar até fisicamente o espaço do cliente, montando nossa agência no interior de sua central. Não era mais a relação tradicional que se estabelece em que a agência, por exemplo, termina seu trabalho e vai até o cliente apresentar seus *layouts*; o que nós fizemos foi assumir como profissionais qualificados a comunicação total das Casas Bahia sem que isso implicasse uma mudança radical na estrutura do negócio. Funcionou. E muito.

Além disso, a relação de absoluta confiança que conseguimos estabelecer foi fundamental. O que eu tive sensibilidade suficiente para perceber – e talvez nesse ponto possa ter conquistado maior credibilidade junto a eles – foi que, apesar de toda a nossa experiência em comunicação de varejo, tínhamos de entender antes de tudo a mecânica do sucesso das Casas Bahia e a forma como iríamos nos incorporar à empresa, de modo absolutamente natural.

Aos poucos, as Casas Bahia começaram a respeitar profundamente nosso método de administrar seus recursos, nossa forma de contribuir como profissionais e a qualidade da comunicação que estávamos propondo. E quando se conquista a confiança de um cliente assim, a parceria que se estabelece tende a se consolidar cada vez mais. Foi uma conquista muito serena – mas conseguida a partir de grandes ideias e propostas ainda maiores.

Uma dessas ideias foi a invenção do que chamamos de cadernão, por exemplo, que produzimos lá mesmo e até hoje continua sendo um grande sucesso.

O *cadernão* é um encarte quinzenal muito bem produzido que circula nos grandes jornais; embora as Casas Bahia já investissem em alguns encartes, nenhum deles havia sido pensado com o nosso formato nem com o nosso conceito. Era um ajuste que basicamente respeitava a política de comunicação da empresa mas otimizava muito suas possibilidades como produto.

Outro cuidado fundamental é nunca perder de vista o consumidor a quem se dirige a comunicação. Um consumidor das classes C, D ou E possui hábitos próprios de comportamento e de consumo que precisam ser analisados, compreendidos e respeitados.

E cada detalhe das Casas Bahia – o *design* das lojas, sua localização, a disposição dos produtos ou o modo de abordagem dos vendedores – foi sempre implementado com base em anos e anos de experiência com varejo.

É o que Samuel Klein chama de 'plantar uma venda' – isto é, trabalhar cada venda como algo que é vivo, se desenvolve e que pode florescer. A diferença entre 'plantar uma venda' e simplesmente vender talvez seja a mesma que existe entre acompanhar o crescimento de uma árvore e passar os olhos pela foto de uma folha. A árvore cresce com solidez; as Casas Bahia entenderam perfeitamente essa dinâmica da venda do varejo e souberam torná-la infalível.

Todas as histórias que marcam a evolução de uma empresa como as Casas Bahia, por isso, necessariamente precisam ser levadas em conta como material de referência para a comunicação.

O segredo do sucesso de nossa apresentação – e de nossas campanhas – provavelmente esteja em nossa disposição para mergulhar fundo no universo do cliente: assim que conquistamos a conta, pedimos autorização para conhecer todas as lojas e conversar com os gerentes, os funcionários, os ex-funcionários, os fornecedores e os consumidores. Nós acabamos pesquisando e avaliando muito do que eles já sabiam – mas acabamos capazes de dar uma aula sobre eles mesmos a partir de uma perspectiva que pôde trazer muita informação nova.

Essa atitude de humildade perante um negócio da dimensão do das Casas Bahia certamente pode ter influenciado na decisão da empresa de nos contratar imediatamente após a apresentação. Quando Samuel Klein me deu os parabéns e já comunicou que a conta era nossa, ficou provado mais uma vez como é essencial estudar ao máximo cada cliente para que nossa compreensão de seu negócio seja a mais completa possível.

Muitas vezes, essa análise – e essa compreensão – chegam a valer tanto quanto a qualidade das peças produzidas. E isso porque, no fim das contas, o que é decisivo para qualquer cliente é a inteligência do planejamento estratégico de sua agência – e qualquer pensamento estratégico só pode ser elaborado com um mínimo de conhecimento de causa.

Não existe conhecimento de causa sem que se conheça intimamente o negócio do cliente; sem que se tenha muito claro quais são todas as suas qualidades, suas fraquezas, suas oportunidades e o que pode ameaçá-lo – isto é, desestabilizar seu sucesso de vendas.

A análise dessas forças, fraquezas, oportunidades e ameaças é justamente o que constitui a famosa *SWOT analysis* – o popular instrumento de *marketing* que analisa o conjunto de *strengths*, *weaknesses*, *opportunities* e *threats* que define toda grande corporação. A partir dessa análise, o fundamental é equacionar essas quatro variáveis otimizando as qualidades e as forças, corrigindo as fraquezas, aproveitando as oportunidades e descobrindo como anular as ameaças.

Variáveis à parte e mesmo com todas nossas sugestões de ajustes, o *slogan* das Casas Bahia foi algo que nós fizemos questão de manter exatamente como vem sendo veiculado há meio século.

Afinal, há 50 anos a família cuida do mesmo negócio com exatamente o mesmo empenho: nesse caso, falar em 'dedicação total a você' não é só verdadeiro em termos corporativos, mas muito eficiente em termos comerciais.

E, depois de tudo, o respeito ao trabalho já feito e ao dinheiro já investido é fundamental. Se a assinatura da empresa não correspondesse à sua imagem no mercado eu seria o primeiro a defender sua substituição, com todos os argumentos que pudesse encontrar.

Mas existem momentos em que reconhecer o que está perfeito é muito mais importante que ceder à vaidade fácil de propor qualquer mudança. No caso do *slogan* das Casas Bahia esse era um desses momentos.

Eu sabia que recomendar a manutenção dessa assinatura seria uma atitude – quase um investimento – que se pagaria com o tempo. Se as nossas pesquisas, a nossa intuição e o nosso planejamento chegassem à conclusão de que seria melhor abrir mão do *slogan*, nós teríamos de ter a honestidade de princípios e a coragem de afirmar que 'dedicação total a você' era só uma frase vazia sem qualquer referência concreta no que a empresa representava ou estava buscando. O cálculo, no caso, deve sempre ser feito a longo prazo – porque é a longo prazo que tudo se paga melhor.

No meu ponto de vista, os profissionais brasileiros no geral sempre tendem a pensar com uma mentalidade de muito curto prazo, repetindo bem mais o que o cliente quer ouvir do que o que precisa ser feito. Não é o meu estilo.

O exagero autoral com que alguns publicitários defendem suas idéias muitas vezes me parece não uma forma qualquer de paixão, mas só despreparo – e, muitas vezes, um despreparo que beira a burrice. É uma defesa arrebatada, sem dúvida, mas que muitas vezes leva em consideração bem mais a vaidade da autoria que a adequação da ideia.

No fundo, tão importante quanto ter uma boa ideia é saber vendê-la. E, para vender o que for, a primeira exigência é que se tenha paciência e flexibilidade suficientes para que tudo seja passado para o cliente sem qualquer imposição.

Já houve vezes, por exemplo, em que eu não estava particularmente seguro com o que estávamos apresentando, mas, como sempre, fazia questão de respeitar a posição dos profissionais de criação e acabava assinando embaixo – e o resultado, algumas vezes, era um desastre.

É claro que a grande maioria das campanhas que apresentamos sempre me deixa muito orgulhoso do trabalho da minha equipe. O importante é entender que ninguém pode realizar um trabalho *outstanding* o tempo inteiro. Mesmo alguém respeitado e aparentemente infalível como o Spielberg já fez filmes que não só foram muito mal nas bilheterias como também eram muito mal resolvidos.

Quem quer ser *outstanding* precisa estar acima da média a maior parte do tempo – que é o máximo que se pode chegar em relação a qualquer padrão de excelência. Manter-se acima da média na maior parte do tempo já comprova um trabalho excepcional – e esse sempre foi o ponto de partida para todas as minhas empresas.

Além disso, nenhum cliente é obrigado a conhecer *marketing*, comunicação ou propaganda para poder avaliar qualquer campanha. Se fosse, talvez nem estivesse na posição de cliente, mas na de profissional de comunicação.

Nesses 20 anos de trabalho, o que eu mais constatei foi que a maioria das grandes campanhas de sucesso sempre foi feita a quatro mãos – como num bom concerto de piano.

O *briefing* do cliente, antes de tudo, é por isso tão importante quanto qualquer invenção da criação ou qualquer estratégia do planejamento. E, muitas vezes, a campanha já está no próprio consumidor sem que se tenha percebido claramente como.

Nesse sentido, eu nunca vou esquecer que a campanha genial da cerveja 'número 1', por exemplo, foi toda criada a partir de um gesto.

O processo era simples: observando ao vivo e mesmo filmando para pesquisa os consumidores nos bares, era fácil constatar que toda vez que alguém pedia 'garçom, por favor, uma cerveja', a frase era sempre acompanhada pelo movimento do indicador levantado, que não servia só para chamar a atenção mas também para enfatizar o pedido.

Foi justamente esse gesto que acabou induzindo os criadores a imaginarem garrafas de cerveja que voavam imediatamente após qualquer pedido na direção da mão de quem pedia. Foi o que nós apelidamos de 'gesto mágico' – e o importante, aqui, é que essa mágica foi criada pelo público e os consumidores e entregue, pronta, para quem soubesse perceber – e desenvolver, a partir daí, toda uma estratégia de comunicação.

A sensibilidade do publicitário, assim, consiste simplesmente em detectar o que já está no ar e transformar o que ainda não tem forma numa peça, num anúncio ou numa campanha. Muitas vezes, até num hábito.

ALGUNS PROBLEMAS

Quando comecei em publicidade, a palavra mais repetida para definir a relação com o cliente – uma palavra que me arrepia até hoje – era 'parceria'. É um termo abrangente demais e que foi usado de forma muito irresponsável durante muito tempo, principalmente porque a tão propalada parceria de que todo mundo falava nem existia.

Na época – meados da década de 80 – , outra noção muito recorrente também era a de *full service* – o conjunto de facilidades de comunicação que toda agência deveria estar preparada para oferecer e que na verdade deveria incluir todos os serviços complementares que seriam feitos para o cliente numa mesma estrutura. A Young, com a qual eu estava associado naquele período, chamava esse leque de facilidades de *whole egg.*

Muitas agências não conseguiram acertar a fórmula para poder oferecer esse conjunto de opções. O que se passou a estabelecer, em compensação, eram empresas complementares e secundárias para uma mesma agência nas quais a qualidade profissional de serviço era sensivelmente inferior. O profissional de promoção, por exemplo, quase nunca estava no mesmo nível que o profissional de publicidade.

Além disso, o esquema deixava evidente um grande embaraço estrutural: quando uma agência cria e veicula um comercial, recebe uma contrapartida expressiva pelo seu percentual de comissão; como o comercial foi criado pelo mesmo grupo que cuida da sua veiculação, cada vez que é veiculado, a agência recebe uma comissão proporcional ao seu plano de mídia.

Numa promoção, o quadro é completamente diferente. Para criar um folheto, por exemplo, você tem quase o mesmo trabalho que teve para criar um comercial de TV (com reuniões, texto, direção de arte, fotos, impressões, provas e aprovações), mas só recebe um percentual de 15% sobre a impressão. Não se pode comparar os 15% do folheto com os 20% do comercial na Rede Globo – especialmente porque tanto o comercial quanto o folheto são criados muitas vezes pela mesma dupla (fica óbvio que as agências não poderiam ter muito interesse nesse modelo de negócio).

Nosso nível de telespectadores, leitores e consumidores também é muito específico: existem cerca de 4 milhões de assinantes de TV a cabo, por exemplo, num país com 170 milhões de telespectadores. Nosso índice de leitores é um dos menores *per capita* do mundo – o que faz com que as tiragens de nossos jornais sejam incomparavelmente menores em relação às tiragens dos jornais nos Estados Unidos ou na Europa.

Isso tudo fez com que certas ferramentas de mídia ganhassem, entre nós, uma importância muito grande – como o ponto-de-venda.

No momento em que se descobriu o quanto a decisão do consumidor pode ser definida por essa mídia, os materiais de gôndola e os pontos-de-venda ganharam uma dimensão muito maior do que jamais tiveram no passado e as agências começaram a perder faturamento na medida em que a verba do cliente é uma só e seu *share* – isto é, sua distribuição – depende da nossa capacidade.

Outra ferramenta inédita, que surgiria bem depois, de modo bombástico, acabaria redimensionada comercial e estrategicamente de modo bem mais realista, mas que continua sendo uma ameaça potencial a essa distribuição de verba é a mídia digital, a internet.

Os veículos sentiram a força de toda essa concorrência, também tentaram abrir uma linha de frente nessas outras mídias – e não tiveram exatamente o mesmo sucesso que em suas versões mais tradicionais. É só pensar no caso da Globo – que, embora não tenha se dado tão bem, fez questão de abrir novos negócios porque percebeu que a concorrência, agora, não era mais exclusivamente a das outras emissoras de canal aberto.

Essa visão é fundamental para os negócios. Quando era meu sócio na NewcommBates, o Walter Longo sempre repetia que o mais importante era estar 'com o pé no presente e o olho no futuro'.

É uma estratégia para a qual minhas associações com multinacionais me têm servido muito: sempre valorizei muito tudo o que descobria de inédito ou precursor nos outros países e que poderia adaptar ou usar aqui.

DEZ SUGESTÕES PARA QUEM PRETENDE FORMAR UMA SOCIEDADE

Sociedades, posso garantir, são muito complicadas. Algumas regras básicas podem tornar seus riscos menores.

Antes de tudo, sempre trate o seu sócio da mesma maneira, independentemente do volume de ações que ele tenha. Como as sociedades anônimas acabam protegendo legalmente o sócio minoritário, é principalmente nas empresas limitadas que todo sócio sempre deve prestar contas e dar satisfação ao outro independente de ser majoritário ou não. O respeito à relação independentemente da posição acionária dos sócios é uma base de relacionamento não só estratégica, corporativa ou comercial, mas ética.

Em segundo lugar, é essencial a valorização mútua dos sócios. Num negócio como o nosso – no caso de sociedades, na verdade, em qualquer negócio – a pressão em relação ao trabalho já é suficientemente pesada para que a relação interna entre as pessoas responsáveis pela empresa também seja um problema a mais.

Em terceiro, a definição clara do papel dos sócios é fundamental: nosso negócio não comporta sócios capitalistas; só sócios ativos. Por ser um setor ligado à prestação de serviços, as pessoas que dirigem a empresa, no nosso ramo, têm de ter ações do negócio – é uma área que não pode estar, por exemplo, nas mãos de um banqueiro. Quando isso ocorre, os sócios começam a dever satisfações financeiras, o que torna tudo ainda mais desagradável e complexo. Até meus sócios americanos, atualmente, são ativos – são sócios que trazem clientes, participam das decisões, entendem do negócio.

Em quarto lugar, é essencial que, além de seu papel acionário, cada sócio tenha muito bem definido seu *job description* – fica mais fácil estabelecer responsabilidades profissionais a partir de uma definição clara de funções.

Em quinto, nunca se deve perder de vista, em qualquer sociedade, a importância de uma relação de absoluta confiança. Quem perde a confiança numa sociedade perde a sociedade.

Essa confiança é também a base do respeito mútuo. Muitas vezes, por mais que não goste de alguma campanha que vá ser apresentada, tenho de respeitar a opinião de meu sócio: se ele gosta – e se eu o convidei para uma sociedade comigo por confiar em seu talento de criador –, sou obrigado a aceitar seu ponto de vista numa área que, afinal, não é minha especialidade própria.

E do mesmo modo, sempre que for fechar algum grande negócio, sei que devo consultá-lo. Quando o negócio envolve muitos aspectos e é mais complexo, meu parceiro atual – o brilhante Tomás Lorente –, é sempre muito honesto: 'Na essência, a decisão é sua, Roberto'. Porém, decisões sobre campanhas e toda a criação são dele.

Eu tenho de ter a coragem, a humildade e o bom senso de acreditar que, em questões que dizem respeito à sua área, meus parceiros devem ter um discernimento mais abrangente e melhor que o meu. Quando a questão é corporativa – se decidimos comprar alguma agência, por exemplo – então a decisão é absolutamente societária, independente de quem é minoritário e quem é majoritário. De qualquer outra maneira, é o próprio sentido de uma sociedade que se perde.

Em sexto lugar, é preciso levar em conta que, numa sociedade, o peso da palavra é muito grande: qualquer opinião deve ser expressa com todo tato possível. Houve várias campanhas da Fischer,Justus – que nunca foi uma agência *outstanding* em termos criativos –, que eu fazia questão de ignorar (o caso de uma campanha antiga para a Perdigão, por exemplo, que incluía um filme no qual a Tereza Collor anunciava salame foi, nesse sentido, muito marcante).

Esses episódios me ensinaram o quanto saber opinar, saber explicar uma posição e saber como criticar qualquer peça, especialmente entre sócios, pode ser tão decisivo. Para saber se relacionar, é preciso saber se comunicar: toda sociedade é sempre uma prova implacável sobre os limites de nossa flexibilidade e nosso tato.

Sétimo ponto: outro hábito fundamental para garantir a saúde de qualquer sociedade é sempre passar todas as informações empresariais para o seu sócio. Se ele souber de qualquer novidade, qualquer dado, qualquer decisão ou qualquer material importante que você já conheça por intermédio de terceiros, é muito justo que se sinta excluído. Muitas vezes, estranhamente excluído.

A melhor sociedade é sempre a que funciona num regime de completa cumplicidade. As pessoas em geral não confiam tanto umas nas outras como deveriam. Além disso, muitas têm problemas de autoafirmação, autoria, competitividade, orgulho. E em publicidade tudo isso acaba muito mais acirrado.

Em oitavo lugar, todo empresário que tiver estabelecido uma sociedade deve saber antever também que o próprio tempo já pode ser um fator complicador: quando era sócio do Eduardo Fischer em 1981, tanto eu quanto ele tínhamos um perfil. Em 1985, nós dois já éramos praticamente pessoas bem diferentes. Na década de 90, tudo havia mudado – em nós e entre nós – ainda mais. Cada um tinha amadurecido – mas amadurecido à sua maneira. E o que acontece, no fim das contas, é que a pessoa com quem você estabeleceu uma sociedade há

10 ou 15 anos simplesmente não é mais a mesma com quem você tem de conviver, trabalhar e fechar negócios. Por isso, a evolução de uma sociedade deve sempre acompanhar com muito equilíbrio a evolução pessoal de cada sócio.

Minha nona sugestão é deixar sempre claro, além de tudo isso, que toda sociedade funciona muito melhor quando é complementar – quando os sócios não trabalham na mesma área e não fazem a mesma coisa. Como as sociedades existem para que uma empresa tenha mais força e enfrente com mais vigor suas dificuldades, seus concorrentes e seus problemas, quanto mais bem articulada estiver a relação entre os sócios, mais a empresa terá a ganhar. A partir do momento em que um sócio sente que sua contribuição é maior, que o outro não evoluiu ou que nem sempre os dois se comportam com a mesma ousadia, começam os problemas internos.

Para mim, aliás, a ideia da complementaridade numa sociedade sempre foi fundamental: se eu for começar a contratar redatores e diretores de arte e decidir sobre produtoras e fornecedores, por que precisaria de um sócio criativo? Se uma sociedade for sobreposição, por que precisaria de algum sócio? Sociedade com sobreposição é a receita mais infalível para uma sociedade com atrito. E, como sempre se repete, onde dois elefantes brigam, quem sofre é a grama.

Posso falar com alguma experiência sobre tudo o que faz com que os sócios numa sociedade continuem numa relação de compatibilidade, eficiência e confiança mútua porque tive um sócio por 17 anos com quem realmente criei uma incompatibilidade muito grande – tanto de pensamento quanto de estilo de atuação. Sempre fiz questão de manter tudo da forma mais aberta possível e com muita objetividade. Com o tempo, meu sócio foi ficando cada vez mais sonhador e em certos momentos, a meu ver, até um pouco irresponsável. Nenhuma sociedade resiste a uma relação assim.

Por último, outro elemento que torna a relação numa sociedade muito difícil é que toda sociedade envolve uma relação que é ao mesmo tempo pessoal e financeira. E é muito raro que, mesmo entre familiares e parentes, questões ligadas a dinheiro não comprometam às vezes gravemente as relações. Numa sociedade, tudo é ainda mais intenso e delicado.

Em empresas familiares, o que complica ainda mais a questão da maioria das sociedades é o fato de que, muitas vezes, sem precisar conquistá-las por competência, as pessoas herdam suas posições. A relação entre os sócios acaba muito mais difícil.

UM EXERCÍCIO ESSENCIAL

Quem pretende ter algum sucesso como empresário ou profissional – e mesmo em sua vida pessoal – precisa exercitar o tempo todo aquilo que os americanos chamam de *role reversal*. É fundamental tentar se colocar na posição do outro.

Numa negociação, esse é um exercício indispensável – e que facilita muito compreender melhor o quê, exatamente, quem está negociando com você está pretendendo, até onde pode chegar e que efeito suas palavras vão poder causar em tudo o que ele está defendendo.

Sempre fui uma pessoa que falou sem rodeios o que pensa – nunca fui de usar meias palavras ou insinuações. Sou muito direto. Com o tempo, fui aprendendo que não se pode dizer sempre tudo o que se pensa – é contraproducente. O exercício de inverter os papéis foi muito importante para que eu aprendesse essa lição.

Estratégias de saída de uma sociedade são também muito importantes, e esse é um ponto sobre o qual quase ninguém costuma prestar muita atenção. Claro que, quando está montando um negócio, ninguém tem muito tempo de ficar pensando em tudo o que pode acontecer quando for sair dele. Quando surgiu a oportunidade da Young, só saí da Fischer,Justus/ Young & Rubicam quatro anos depois; não saí mal, mas podia ter saído bem melhor. Quando fiz o negócio com a Bates, já fui capaz de negociar uma saída honrosa em termos muito melhores.

Para contemplar tudo o que se acaba construindo em termos de valor de marca, a praxe no mundo todo, em termos de publicidade, é multiplicar o lucro da empresa em certo período por um fator que depende da imagem da agência, do seu prestígio, do valor de sua marca. A empresa acaba valendo mais ou menos vezes o lucro que gera. Hoje, já tendo pensado numa estratégia de saída, negociei esse coeficiente com uma opção a meu favor. O que não se pode é entregar uma vida inteira de trabalho por um preço que é contábil. Em qualquer nível profissional, prever o que pode acontecer com o desligamento de uma empresa é sempre no mínimo muito prudente.

Como nos contratos legais de casamento – com a comunhão total ou parcial de bens –, os termos de qualquer sociedade também precisam sempre ser muito bem definidos, especialmente no que se relaciona à sua dissolução. Como é possível montar uma sociedade se não se pensar no que pode acontecer quando houver algum imprevisto ou alguma separação? Já que a possibilidade de que qualquer sociedade possa dar errado é sempre muito alta, essa é uma possibilidade que precisa ser discutida e analisada de forma muito concreta. Ignorar essa perspectiva é se comportar de forma leviana, não empresarial.

PRESTÍGIO DA CRIAÇÃO

Ao longo da minha carreira, uma característica que tem se mantido quase idêntica, desde que comecei, foi o questionamento sistemático – e muitas vezes ingênuo – dos privilégios do pessoal da criação. Um dia, resolvi reunir todo mundo na agência e tentar esclarecer a razão desses privilégios usando um exemplo conhecido.

Na época, os Mamonas Assassinas estavam no auge de seu sucesso e tinham acabado de sofrer o acidente fatal com o avião que os trazia de um show. Minha analogia não podia ser mais simples: eu pedia a todos que imaginassem que eu fosse o empresário da banda, o encarregado de negociar contratos, determinar os locais nos quais o conjunto iria se apresentar, buscar patrocínios, visitar clientes, distribuir cotas e controlar a bilheteria. Esse é o meu negócio. Outra pessoa controlaria a iluminação do show, outra controlaria o som, outra cuidaria da cenografia, outra do transporte, outra da segurança. Cada um cumpriria alguma tarefa exatamente nos moldes do organograma de uma agência, com sua mídia, seu planejamento, sua produção e seu atendimento. Nesse meu exemplo – como parecia também ser o caso do sucesso impressionante dos Mamonas Assassinas – tudo funcionaria perfeitamente bem, a banda faria cada vez mais sucesso e todo mundo teria cada vez mais trabalho.

Mas, de repente, um avião cai – e a banda acaba. O que acontece com todo mundo? O que eu faço com os contratos, os locais do show, os patrocínios, as cotas e as bilheterias? O que se faz com a cenografia, o som, a iluminação? Todo mundo tem de sair para o mercado, procurando ser contratado por algum outro artista ou alguma outra banda se quiser continuar trabalhando.

Então o que era, na verdade, o nosso negócio? Os shows – mas eram shows de uma banda. A bilheteria – mas era a bilheteria da banda. O som – mas era o som da banda. Quem representam, então, os Mamonas Assassinas, se refletidos no organograma de qualquer agência? A criação.

E sem criação não tem produto, sem produto não tem cliente e sem cliente ninguém vai precisar administrar shows, controlar bilheterias, cuidar de som, de cenários ou da luz. Sem criação, o que colocaríamos no ar? O sorriso do diretor de mídia? O show é deles. Com suas campanhas, eles criam a imagem do produto, o nicho de mercado para o qual se vai atuar e, de resto, todas as funções da agência.

PRINCÍPIOS PESSOAIS DE ADMINISTRAÇÃO

Meu negócio é administrar talentos. Minha maior especialidade, hoje, é desenvolver planejamento de *marketing* – e embora eu sempre opine quando sou chamado, nunca interfiro no trabalho dos outros porque é um trabalho que está sendo assinado pela minha empresa e o mínimo que me cabe é confiar nesse trabalho.

Sempre fiz questão de que essa confiança fosse integral – mesmo que delegar o que me cabia acabasse me custando um pouco. Como já mencionei anteriormente, já houve momentos em minha carreira, por exemplo, em que certas campanhas que minha agência havia criado não chegavam a me deixar particularmente eufórico – e minha reação mais básica e imediata era sempre desligar a televisão para não assistir aos comerciais que tínhamos produzido. Era uma reação quase instintiva – mas que infelizmente não evitava que a campanha continuasse a ser veiculada.

Como presidente da agência, entretanto, esse era o preço que estava obrigado a pagar não só por ter sempre seguido uma regra elementar de comportamento profissional, mas inclusive pelos limites impostos pela minha própria posição.

Era uma reação natural, muitas vezes puramente pessoal, a um ou outro trabalho extremamente esporádicos. A resistência mais crônica e comum em relação à criação sempre existiu – e, o que é pior, é uma resistência que sempre foi alimentada pelos próprios publicitários. Mas existe outra resistência que a própria publicidade, como negócio, costuma sofrer com muita frequência. Conheço um exemplo bem didático.

ALGUNS CLICHÊS CLÁSSICOS SOBRE PUBLICIDADE

O Júlio Ribeiro, que é um dos profissionais mais brilhantes da nossa profissão, mandou construir um barco. Nada mais merecido: ele já deve ter ajudado seus clientes a movimentarem bem mais de 1 bilhão de dólares e é mais que natural que ele tenha dinheiro para fazer o que bem quiser. Eu mesmo não seria capaz de calcular, depois de 25 anos na profissão, quanto já posso ter ajudado meus clientes a venderem.

Esse é o nosso trabalho – e, como qualquer outro, é um trabalho que tem um custo proporcional ao lucro que gera e ao investimento que movimenta.

No estaleiro onde o barco do Júlio estava sendo construído, existia mais um que já estava em acabamento. Alguém passou por lá num fim de semana e perguntou de quem era o barco que já estava quase pronto. O funcionário respondeu que era de um grande industrial. 'E esse outro barco, de quem é?', a pessoa perguntou. Assim que o empregado respondeu que era do Júlio Ribeiro, a reação foi de muito espanto: 'Está ganhando dinheiro esse publicitário, hein?'

A moral da história é muito clara: um industrial pode ganhar dinheiro; um publicitário, não.

Mas por que eu não poderia ganhar dinheiro se faço meu cliente ganhar tanto? Nunca tive vergonha de ganhar – ou de cobrar pelo que faço – porque tudo o que recebo é fruto do meu trabalho, de um trabalho pesado e sério, que envolve muitas pessoas, muito investimento e, é claro, muito mais do que eu ganho.

Houve uma época em que me aconselhavam a não ir visitar nenhum cliente com meu carro – uma Mercedes importada. Carros sempre foram uma de minhas grandes paixões e um dos grandes luxos aos quais sempre me permiti. Mas parecia que havia um problema enorme se eu decidisse ir visitar qualquer cliente com a Mercedes que tinha comprado com o dinheiro do meu trabalho.

A lógica era muito curiosa: 'Vai com outro carro, Roberto', me aconselhavam, 'porque o cliente pode acabar achando que, se você está dirigindo uma Mercedes, é hora de baixar a comissão'. Para mim sempre foi claro que, se estou fazendo direito meu trabalho e me sobrar dinheiro para comprar uma Mercedes, sorte minha – o cliente é que deveria ficar orgulhoso de eu ser um grande profissional.

E tudo, como sempre, é uma questão de medida: se estou andando de Mercedes, ele está de helicóptero. E não é porque ele está andando de helicóptero que vai me ocorrer reclamar que ele possa estar cobrando muito de seu consumidor – nem imaginar que ele só está podendo andar de helicóptero porque está abusando dos valores que cobra.

ADMINISTRANDO FINANÇAS

Em relação a finanças, uma regra muito importante de administração é bem simples: nunca misturar dinheiro da empresa com dinheiro pessoal. Minha política em relação à distribuição de resultados sempre foi muito clara.

Em primeiro lugar, sou contra *fringe benefits.* Prefiro acertar o quanto se ganha e a pessoa que recebe o salário faz o que quiser com seu dinheiro. O *fringe benefit* acaba incorporado num pacote de salário e onera muito a empresa.

O que me parece bem mais justo – e muito mais saudável, em termos corporativos – é oferecer aos executivos participação nos negócios. É uma medida baseada no princípio da meritocracia e que sempre estimula muito quem trabalha – não só pelo volume real de uma recompensa concreta, mas por tudo o que essa própria recompensa representa, em termos de reconhecimento da qualidade de seu trabalho, durante um período determinado.

Outra questão é a saúde e a integridade da empresa – fatores que estão muito mais interligados do que se pensa. Existe outro exemplo clássico.

Há algum tempo eu tive contato com um empresário ligado ao setor de exportação que subfaturava suas contas – o que é muito perigoso – e não só por ser ilegal.

Eu costumava observar sua *performance*, e ele se mantinha feliz e próspero, vendendo muito para o exterior e trazendo para o Brasil só 80% do que recebia. O resto aplicava fora. Como os 80% que declarava cobriam de uma forma muito justa seus custos, sua empresa praticamente não dava lucro – e ele não era tributado.

É uma irregularidade muito grave. E muito arriscada: como o dinheiro que entrava era calculado centavo a centavo para saldar sua operação, por qualquer descontrole ou acidente a empresa acabava tendo prejuízo – e tendo de recorrer a bancos.

Quanto mais precisava de bancos, mais crescia sua dívida – e mais incontrolável ficava seu negócio. Hoje ele está rico, mas de uma forma ilegal e, a meu ver, empresarialmente irresponsável.

O que acontece com empresas como essa? Seja qual for o negócio que opere, qualquer empresa precisa sempre manter uma margem de contribuição – seu lucro – para poder sobreviver. E não pode existir um modelo de operação em que o empresário esteja próspero e sua empresa falida: empresário rico só pode ser consequência de uma empresa de sucesso. E tudo isso obedece a um *timing* muito rigoroso.

Eu sempre acreditei que se devem manter assegurados em caixa de dois a três meses da vida de uma empresa. É um cálculo moderado, mas ao mesmo tempo plausível e razoável, para que qualquer empresa se mantenha relativamente independente de recursos de terceiros.

Em acordos com acionistas, por exemplo, sempre tentei distribuir 75% do lucro cabível e manter de 25% a 30% como capital de giro. E, a não ser que algum valor represente a minha parte do lucro distribuível, nunca avanço no que é da empresa. É uma posição que não é só ética – é técnica.

Todo negócio – especialmente o da publicidade – está sempre sujeito a certas instabilidades.

O que uma agência faz? Vende projetos para seus clientes e na maioria das vezes é comissionada sobre o volume das verbas envolvidas.

Por isso, é preciso estar sistematicamente preparado para os momentos em que a veiculação, por exemplo, se retrai um pouco, cai – ou despenca. Porque o nosso custo fixo continua o mesmo. E ninguém pode demitir pessoas e recontratá-las mais tarde conforme vão oscilando as flutuações do mercado. A carteira de clientes de toda agência deve garantir um *break even* e sua margem.

Quando se trata de uma empresa pequena, a situação é evidentemente um pouco mais flexível. Mas, a partir de um determinado patamar, o ideal é definir um salário justo e tentar contemplar o que eventualmente faltar com a distribuição do lucro.

Em termos de salário, a referência nunca pode ser o do dono da empresa. Em certos casos, existem pessoas ligadas à criação que eventualmente podem merecer ganhar até mais que o próprio dono por gerarem receita valiosa para o negócio. Estar hierarquicamente acima de alguém não implica necessariamente ter de ganhar mais que ele. Para administrar bem qualquer negócio, todo cálculo deve ser determinado por uma boa dose de isenção e inteligência estratégica, nunca de vaidade.

Bom senso, nesse caso, é fundamental. Se um investimento é crucial para a empresa, deve ser feito, custe o que custar – e doa a quem doer.

Quando o próprio dono de uma companhia resolve recorrer a algum truque acionário para igualar o seu salário ao de um funcionário importante que possa estar ganhando mais que ele, o efeito dessa operação infantil costuma se abater de forma irreversível sobre a própria empresa. Além de um péssimo exemplo, é um tiro pela culatra geralmente fatal. No momento em que o departamento de RH constata os salários da folha, começa – com razão – a se indagar a lógica da decisão. E quando alguma decisão do dono de uma empresa é questionada com razão, sua liderança se esvazia com muita rapidez. Não basta ter poder para decidir – quem é o responsável pelo negócio precisa sempre ter a melhor justificativa possível para cada decisão.

VISÃO DA TOTALIDADE: LIDERANÇA, PLANEJAMENTO E NEGÓCIOS

As decisões precisam ser tomadas levando-se em conta a totalidade do que está em jogo, nunca algum aspecto particular. Existem três bons motivos para isso: em primeiro lugar, porque se concentrar sobre o que é particular é só uma forma de miopia; em segundo, porque o detalhe muitas vezes mente; e, em terceiro, porque todo líder verdadeiro não pode perder nenhuma oportunidade para comprovar que conhece profundamente todas as variáveis de seu negócio. Muitas vezes, é o conhecimento dessa totalidade que faz a liderança.

Como adoro cinema, sempre recorro a uma imagem muito didática para explicar a importância da visão do todo. Se imaginar uma câmera enquadrando, por exemplo, um piquenique no parque do Ibirapuera, em São Paulo, posso pensar em imagens que mostrem alguma parte da toalha, um ou outro rosto, o detalhe da mão de alguém segurando um vidro de geléia ou parte do que se entrevê no interior de uma cesta com frutas. Se quiser mostrar o conjunto, tenho de afastar mais a câmera e enquadrar todos que estão participando. Se quiser mostrar onde estão, tenho de ir ainda mais longe e enquadrar o parque todo. E assim sucessivamente, até mostrar do alto a cidade, o estado, o país, o continente e o planeta. Quando estivesse mostrando todo o país, por exemplo, seria capaz de dizer quantos piqueniques estariam sendo feitos no Brasil naquele exato momento – e daí por diante. Quanto mais abrangente minha visão, mais informação poderia ter sobre tudo – e mais bem preparado estaria não só para responder o que fosse, mas para tomar qualquer decisão relacionada ao que estivesse vendo.

Sem que se tenha uma visão do todo, é impossível estabelecer com segurança como e onde posso me situar no conjunto de tudo. É assim nos negócios – e é assim na vida.

Essa obsessão em sempre tentar enxergar tudo a partir da visão da macroestrutura já era uma das minhas características mais marcantes há mais de 20 anos. E essa talvez tenha sido uma das razões do sucesso profissional que tem marcado minha carreira.

Essa é também uma das qualidades de que mais sinto falta, hoje, quando preciso entrevistar alguém.

O que mais me interessa é justamente avaliar até onde pode chegar a abrangência da percepção de cada um em termos não só técnicos e profissionais mas especialmente culturais e simbólicos; até onde, no fim das contas, pode alcançar a visão de qualquer profissional – se conhece a empresa na qual pretende trabalhar, se conhece seu universo, se domina suas referências e se sabe aonde quer chegar.

Se me aproximar de vários diretores de empresa e começar a fazer perguntas específicas sobre nosso negócio, sei que me surpreenderei muito com a falta de visão da maioria sobre nosso próprio mercado.

Muitas vezes, quando pergunto sobre as dimensões do mercado publicitário americano, japonês – ou mesmo brasileiro – e o volume de investimento *per capita* que recebe em relação ao PIB de seu país, é raro descobrir alguém que saiba responder com qualquer grau, mesmo aproximado, de precisão.

Quando penso nessa minha compulsão pela visão do todo, percebo que isso influenciou até meus sonhos pessoais.

A maioria das pessoas sempre trabalha de uma forma que é um reflexo direto do modo como se sente ou se comporta. No meu caso, eu sempre imaginava o tipo de mulher com quem preferiria me casar, o tipo de família que gostaria de ter e mesmo detalhes menores do futuro que gostaria de conquistar. Provavelmente todos são assim: a única certeza que se tem é que a vida vai acabar um dia e que, a cada manhã em que acordamos, estamos cada vez mais próximos desse momento. Nosso único patrimônio pessoal real é o que foi vivido: ninguém pode saber o que vai acontecer de fato.

Mas para buscar o que se quer – tanto no campo pessoal quanto no profissional – é muito importante que se tenha um objetivo e uma meta. Toda empresa tem suas metas e seus objetivos; uma pessoa deve também ter os seus.

Pode haver quem considere esse plano um pouco calculista e frio – e prefira viver sua vida momento a momento, lidando com seu destino de acordo com tudo o que for acontecendo.

Eu nunca fui assim. Sempre acreditei que nós é que fazemos cada momento de nossa vida, influenciando o momento seguinte pela decisão que tomamos no momento anterior – e que, decisão por decisão, são nossas opções que vão construindo nosso futuro.

Daí a importância de planejar tudo a partir de um conjunto de metas, por mais que nada acabe saindo exatamente como foi planejado. Ter clareza, nesse caso, é essencial: e não existe clareza possível se não se enxergar o todo.

Com uma noção mais precisa do que se deseja e de tudo o que se pretende, o número de variáveis que devem ser levadas em conta pode não diminuir – mas pelo menos fica um pouco mais sob controle.

Desde a época em que comecei minha carreira, sempre fiz questão de basear toda minha motivação nos novos desafios que eu mesmo me coloco. E ninguém tem chance de superar qualquer desafio se não conhecer todas as suas características e todas as suas particularidades. A visão do todo não é só imprescindível para se realizar um trabalho bem-feito: é fundamental também para que se tenha um pouco mais de chance de se conseguir, na vida pessoal, tudo com o que sempre se sonhou.

CONTRAPARTES E CUIDADOS NA LIDERANÇA

Outro dia vi na internet uma sequência de imagens que caricaturizavam as personagens de uma empresa, combinando o funcionário que representava cada função com a imagem de um animal. A última caricatura era a do chefe – que aparecia como um buldogue rabugento e mal-humorado. Era só uma caricatura – mas, na verdade, a imagem resumia um sintoma.

E o sintoma se relacionava ao fato de que boa parte do que é mau, incômodo ou desagradável está sempre ligado, de uma forma um pouco ingênua, à imagem do chefe.

Para certa mentalidade, o mero estabelecimento de qualquer hierarquia já provoca resistência: muita gente confunde autoridade com arrogância – e reage de acordo.

Além disso, quem está à frente de qualquer negócio é sempre o alvo mais visado por ser, também, a figura mais visível. É evidente que sempre existe uma boa carga de admiração e respeito, mas a facilidade com que tudo o que é dito pelo presidente de qualquer empresa acaba sendo mal interpretado é impressionante.

Quando percebi com mais clareza essa permeabilidade, comecei a tomar muito mais cuidado com tudo o que dizia e com toda opinião que me pediam. Minha palavra tinha um peso cuja repercussão eu só podia controlar melhor se medisse com muita precisão tudo o que falava. É um peso dado por certa autoridade que às vezes lembra muito o da palavra de um pai quando ouvida por um filho.

Por isso, é muito importante ter sempre em vista que as mesmas palavras podem se revestir de pesos diferentes de pessoa para pessoa – o que significa, no fundo, que eu não posso me expressar da mesma forma ao me dirigir, indiferentemente, para quem quer que seja.

O presidente de uma empresa deve se dirigir a cada pessoa – e a cada funcionário – com um repertório específico, uma linguagem própria e com ideias adaptadas aos horizontes de cada um.

Mas com quem quer que seja, existe uma atitude que me parece sempre essencial: a da humildade. Mais que uma qualidade, a humildade é o melhor método que existe para se fazer entender – e principalmente para entender melhor os outros.

Eu sempre repito que prefiro ficar vermelho um minuto do que ficar amarelo o resto da vida. Por isso, a frase que mais procuro usar, no meu dia-a-dia, é composta por três palavras muito simples: 'Você tem razão'.

Claro que, sempre que acredito em alguma ideia ou em alguma posição, vou recorrer a todos os argumentos que puder para provar meu ponto de vista. Mas sempre que percebo que estou errado, nada me dá mais alegria – ou orgulho – do que poder reconhecer meu erro.

Porque se convencer os outros pode nos provocar algum orgulho, talvez seja possível sentir um orgulho ainda maior – e, quem sabe, até mais justo – quando nós é que somos convencidos. Não é só mais honesto – é mais eficiente.

VIDA PESSOAL E NEGÓCIOS

Eu sei que hoje deve ser bem difícil de acreditar, mas eu já fui muito tímido.

Era tão tímido que tinha problemas até para ir a festas.

Um dia procurei um psicanalista – o que deve soar também mais ou menos inacreditável – exatamente para discutir essa dificuldade, que me incomodava bastante. Eu não sabia onde colocar as mãos, com quem conversar, como me colocar.

O psicanalista que consultei foi muito prático – e pediu que eu imaginasse o que aconteceria se naquele momento seu consultório se transformasse numa festa cheia de convidados, mulheres, pessoas conversando.

Eu imaginei.

‘Pense agora em você nessa festa’. Eu pensei.

‘O que mudou para todo mundo?’ Eu não sabia bem o que responder.

‘Não mudou absolutamente nada’, ele me disse. ‘A festa continua com seu ritmo: o garçom vai continuar servindo aquele casal ali’ – e ele apontava para um canto do consultório –, ‘aquele sujeito vai continuar querendo fechar negócio com aquele outro’ – e ele apontava para outro canto –, ‘aquele casal vai continuar se beijando a noite toda... A festa não vai parar porque você chegou. Aposto que a impressão que você vai ter é que ninguém, aliás, notou muito a sua presença.’

E me deu um conselho precioso: ‘Relaxa’. Eu relaxei.

Já nos primeiros anos da minha vida profissional eu era *low profile* absolutamente por opção, não mais por timidez. Eu achava melhor estar – e continuar – nos bastidores.

Mas a vida me trouxe uma visibilidade absolutamente involuntária e tive de aprender a lidar com essa forma de celebridade. Posso garantir que não foi fácil.

É difícil conviver – como tive de conviver, em certos períodos – com a sua própria vida sendo anunciada, fotografada, esmiuçada, analisada, comentada, discutida e, algumas vezes, até caluniada em jornais e revistas. O que acaba sendo posto em jogo, como já parece estabelecido até pela própria mídia, são os limites morais da exposição da individualidade de cada um.

É evidente que existe um aspecto às vezes glamuroso em toda essa exposição, e que pode seduzir com muita facilidade um bom número de pessoas.

É evidente também que, como todo mundo, eu também tenho minhas vaidades – mas para lidar com a fama, descobri que precisava ter muito mais responsabilidade que vaidade. Para mim, era uma questão que envolvia minha formação pessoal – e minha posição no mercado.

Durante os quatro anos em que comecei a ficar em relativa evidência, por conta de meu casamento com Adriane Galisteu e de meu namoro com a Eliana, duas pessoas que sempre foram muito visadas, minha vida – e minha imagem – foram marcadas por vários altos e baixos.

Eu tinha consciência, por outro lado, que, se não quisesse estar sob holofotes, não devia ter nem me aproximado de pessoas como as duas.

No começo eu resisti um pouco ao assédio da mídia, mas logo percebi que talvez fosse mais conveniente tentar manter uma relação mais aberta com a imprensa - principalmente por estar ao lado de pessoas que são celebridades e que sempre precisam dar algum tipo de satisfação para seu público. Era claro para mim que meu relacionamento com cada uma delas também dependia de que eu entendesse a realidade de sua profissão e me dispusesse a conviver com essa realidade.

O resultado foi que nenhum outro empresário no Brasil acabou tendo a projeção – involuntária mas muito abrangente – que eu tive.

De repente, tive de assumir e entender um novo estilo de vida que me era até então relativamente inédito. Passei a ser reconhecido pelo público, a encontrar pessoas que conheciam minha vida e me cumprimentavam como se fossem amigas íntimas – e que eu nunca tinha visto antes.

Lembro-me bem de que a primeira vez que toda essa projeção tomou uma forma mais definida para mim foi num restaurante no Ceará que eu nunca tinha ido antes. O garçom se aproximou de nossa mesa, virou-se para mim. 'Seu Roberto! O que o senhor vai querer?' Era muito, muito estranho que ele me chamasse pelo nome – ainda mais tanta familiaridade. Tive de me acostumar rápido.

Nunca soube muito bem a que atribuir a curiosidade intensa, quase maníaca, que minha relação com a Adriane e a Eliana despertaram na imprensa. Não havia o que acontecesse em nossa vida que não fosse noticiado, comentado, repetido – e muitas vezes inacreditavelmente distorcido.

Existia algo, no entanto, para o qual eu não tinha a menor disposição: ter de me privar do que fosse, para evitar a imprensa, e dar a impressão de que havia decidido me esconder em casa só por motivos políticos ou para preservar minha imagem. Continuei a sair e a frequentar cinemas, teatros e restaurantes exatamente como fazia.

Foi uma decisão que me fez passar por situações um pouco desagradáveis. No mercado da publicidade, não é segredo que, por vaidade ou estratégia, as pessoas disputam muito qualquer espaço na mídia.

Como eu passei a ter uma projeção muito grande – e como coincidiu que minha empresa, nesse período, estivesse crescendo muito –, fui também muito criticado.

E fui criticado da forma mais selvagem: era um lugar-comum afirmar que minha agência tinha crescido graças ao meu casamento com Adriane Galisteu.

Houve até quem estabelecesse um comparativo entre a fase anterior e a posterior ao meu casamento, provando o quanto a empresa havia crescido – e reputando esse crescimento, evidentemente, à minha união com a Adriane.

Além disso, por meio de um raciocínio um pouco elementar e ardilosamente elaborado, tentou-se sugerir que o simples fato de que algum empresário fosse conhecido pelo grande público pudesse alterar substancialmente o volume de seu negócio.

Era bizarro: o que parecia implícito era que meus clientes me contratavam graças à minha vida pessoal ou à pessoa com quem estava envolvido – não à qualidade de nosso trabalho. Nenhum cliente, é óbvio, se deixou influenciar por tudo isso.

Hoje, especialmente após a veiculação das duas temporadas de *O Aprendiz,* pode parecer inacreditável – mas, na época, era como se o fato de eu me tornar conhecido do leitor de *Caras* ou de *Contigo* pudesse fazer com que meu negócio crescesse.

Outro detalhe que me incomodava muito era quando me pediam autógrafo unicamente pelo fato de eu estar ao lado de uma mulher famosa. Nunca vi nenhum sentido nisso. Não via quase nenhum sentido, aliás, em muito do que acontecia naquela época.

Mesmo assim, aconteciam situações divertidas – ou pelo menos inesperadas. Ao final de uma reunião, o presidente de uma grande empresa me puxou para o lado. 'Adorei tudo', ele disse. 'Muito bem planejado, muito bem criado, muito bem apresentado.' Pausa. 'Mas agora você tiraria uma foto com minha secretária? Ela está louca para tirar uma foto com você.'

Como meu excesso de exposição tinha chegado a incomodar certos clientes, tive de conversar com alguns deles. Mesmo assim, quando ia a certas reuniões, às vezes continuava tendo de ouvir comentários como

'Roberto, quando você vai começar a trabalhar? Você só viaja, só passeia...' Todo mundo tem seus fins de semana, seus feriados. Como qualquer cliente, se tenho meus poucos feriados livres por ano, aproveito para viajar – que é quando descanso melhor.

Mas o que eu precisava entender era que os meus dias de folga não representavam mais simplesmente meu lazer; meus feriados e fins de semana se transformavam imediatamente em fotos, reportagens, notas, matérias, insinuações e comentários. E em símbolos de um mesmo clichê: o da vida fácil do publicitário que ganha muito mais que merece, trabalha muito menos do que devia e se diverte muito mais que qualquer outro.

Mas toda essa notoriedade trazia também contrapartidas positivas. Começou a se tornar ainda mais importante para certos clientes, por exemplo, que eu não deixasse de ir a seus eventos. Minha simples presença havia se transformado num patrimônio com o poder de otimizar ou estimular ainda mais certos acontecimentos.

A Wella fez uma convenção para vendedoras, por exemplo, e eu fui convidado para dar uma palestra. Todos gostaram muito – e os convites para palestras começaram a surgir de praticamente todo canto. Até de universidades.

Mais tarde, com *O Aprendiz*, isso seria ainda mais exponencializado – mas nesse momento, o contexto já era totalmente diferente. Com *O Aprendiz*, eu não era mais matéria de colunas sociais, variedades ou revistas de fofocas – mas de revistas como *Isto É Dinheiro*, *Exame* ou *Veja*.

Dar palestras começou a se revelar outra de minhas grandes paixões. Sempre adorei poder passar alguma experiência do que vivi e aprendi às pessoas.

Se alguém ia me ouvir só porque eu era a pessoa que viam nas capas de revista ou em reportagens em colunas sociais, não importava – eles iam até a palestra e era minha função aproveitar a curiosidade de cada um para tentar passar alguma informação útil. Todos os meus comentários, afinal, eram sempre baseados em dados concretos e análises.

Não custava nada, por isso, transformar a admiração – mesmo que inocente – por uma imagem ou um ícone, na oportunidade para algum esclarecimento. Era a parcela de contribuição que me interessava oferecer – e que me havia sido possibilitada justamente pela minha exposição na mídia.

Além disso, o fato de que eu sempre tenha estado – pelo motivo que fosse – envolvido com o meio artístico, fez com que eu conhecesse muita gente. As pessoas queriam acreditar, por um prazer quase mórbido, que meus envolvimentos não passavam de uma jogada inescrupulosa de *marketing*. A ninguém parecia ocorrer que conhecer pessoas como a Adriane Galisteu ou a Eliana, no meio no qual eu estava acostumado a transitar profissionalmente, era algo mais que natural.

Pouco menos de um mês após minha separação da Adriane, eu estava em um jantar na casa do Otávio Mesquita e conheci a Eliana. Ela também estava recém-separada, e quando começamos a conversar descobrimos que tínhamos bem mais em comum do que podíamos ter imaginado.

Foi uma relação muito mais intensa que a com a Adriane. Assim, sem querer nem esperar, jantando na casa de um amigo, acabei conhecendo outra pessoa com quem me envolveria – e era também mais uma pessoa muito conhecida e assediada pela mídia.

Sabia que iam voltar a comentar, com ânimo naturalmente redobrado, tudo que já tinham dito sobre meu envolvimento com a Adriane.

Os americanos costumam classificar as pessoas como *inner* ou *outer directed* conforme são mais orientadas pelo que pensam e sentem ou pelo que os outros pensam e comentam. Sempre tendi a me comportar muito mais como alguém do primeiro grupo.

Por mais que me repetissem que eu deveria me manter muito atento à opinião dos outros por já poder ser considerado também uma pessoa pública, minha posição era radicalmente contrária a tudo isso. Havia me tornado uma pessoa pública não por força da minha profissão, mas pela contingência dos meus relacionamentos. Não podia permitir que a opinião dos outros determinasse meus hábitos, minhas decisões e muito menos minhas ideias. Minha posição era clara: minha figura pública terminava exatamente onde começavam minhas convicções.

No início de meu envolvimento com a Adriane Galisteu, a maioria das matérias e das notas que eu lia a meu respeito me abalava muito mais do que devia. Vários amigos me aconselhavam a esquecer tudo e a não dar a menor importância a todo esse burburinho.

'O jornal de hoje só serve para embrulhar o peixe de amanhã', repetiam, numa fórmula celebrada – e completavam: 'o que as pessoas leram hoje cedo hoje à noite já esqueceram'. Podia ser verdade; mas em certas fases não passava nenhuma manhã sem que alguém escrevesse algo sobre mim. Por mais que as pessoas esquecessem o que tinham lido quando chegava a noite, era algo que, com o tempo, cansava.

Ainda mais porque todo meu envolvimento com a Adriane Galisteu não durou mais que um ano e meio. Eu tinha terminado um casamento difícil, comecei a namorar a Adriane – um namoro que durou mais ou menos sete meses – e acabei me casando – um casamento que durou mais ou menos oito meses. Durante esse período dramaticamente curto, fiquei muito encantando com tudo. Quando terminou, tudo foi tão radical e fulminante quanto o início – e não restou nada de todo aquele encantamento.

Foi um período também em que eu me preocupei bastante sobre o quanto ter mergulhado de corpo e alma nesse envolvimento poderia acabar prejudicando minha dedicação aos negócios. Eu estava tão absorvido pela minha vida pessoal que receava passar a impressão de relativa irresponsabilidade – mas, por outro lado, seria igualmente irresponsável tentar me dedicar integralmente ao trabalho estando tão concentrado e abalado com problemas da minha vida pessoal.

Por ter sido uma fase inédita para mim, na qual me permiti seguir meus instintos e não me deixar influenciar pela repercussão de qualquer um de meus gestos, por mínimos que fossem, tinha muito presente a preocupação com os resultados da agência.

Parecia natural que tanta atribulação, acompanhada momento a momento por toda a mídia, pudesse acabar tendo algum efeito sobre a *performance* da empresa. Não teve.

A agência cresceu muito e tudo caminhava de forma excelente, em paralelo ao que acontecia comigo.

Tudo, na época, se transformava numa nota em alguma coluna – ou numa notícia. Minha mãe me telefonava. 'Roberto, estão dizendo que você vai viajar e você não me disse nada'. 'Fique tranquila, mãe, não precisa acreditar em tudo que a senhora lê.' 'Mas no jornal de hoje escreveram que você está em Punta Del Leste.' 'Não estou, mãe; estou aqui no sítio, e amanhã volto para casa.' Quase todo dia tinha de explicar algo, tirar alguma dúvida ou desmentir algum boato.

Uma das vantagens de ser acompanhado tão de perto pela imprensa é que parte da minha imagem, que muitos julgavam inatingível ou pedante – impressão provocada por meu temperamento mais reservado – foi sendo temperada, aos poucos, por fotos e frases publicadas em que o que sobressaía, ao contrário, era uma personalidade mais divertida, mais brincalhona, mais irônica.

As pessoas ficavam num primeiro instante desconfiadas, depois surpresas – e finalmente gratificadas. Pouca gente era capaz de supor que eu não precisava carregar minha seriedade nos negócios para literalmente todas as esferas de minha vida pessoal ou familiar.

No início de minha relação com a Eliana, decidi não recuar nem abrir mão de nada. Minha agência não tinha sofrido com meu envolvimento com a Adriane; agora, com uma apresentadora infantil – uma pessoa por princípio bem menos polêmica – não havia por que deixar de viver essa relação.

Minha relação com a Eliana me ensinou muito sobre como traçar limites que eu mesmo determinava entre o que permitia que fosse público e o que eu sempre fiz questão de manter privado.

Foi nessa época também que me disciplinei para nunca me deixar levar, mesmo que na mais insignificante das decisões, pela opinião dos outros – ainda que essa opinião repercutisse o tempo todo pelas revistas, pelos jornais e pela TV.

A opção era simples: enfrentar a mídia ou abrir mão de alguém que gostava só para não ter de dar satisfações e responder a todo tipo de comentários. Não abri mão de nada.

Se todos os comentários pusessem em dúvida meu caráter, eu provavelmente me preocuparia muito mais. Não via motivo para me preocupar se alguém repetia que eu só gostava de loiras ou de mulheres famosas. Tinha mais o que fazer – e bem mais o que viver.

Sobre a história de minha relação com loiras, aliás, que tanta gente adora comentar, talvez valesse a pena registrar que a mãe dos meus primeiros dois filhos é loira; já a da minha caçula, a terceira, é morena. Fiquei oito anos casado com ela.

O que eu sempre acreditei que devia ser o grande motivo de orgulho é o trabalho que se faz, a forma como se cria os filhos, os valores nos quais se acredita, a diferença que se pode fazer no mundo. Orgulho por ser conhecido porque alguém convive ou se envolve com alguma mulher bonita ou famosa? Por favor.

A notoriedade que acabei conquistando possibilitou situações de um humor inusitado. Numa festa de fim de ano na agência, distribuíram entre todos os funcionários uma camiseta que tinha sido produzida especialmente para a comemoração. Um letreiro na camiseta perguntava: 'Quem disse que um dia você não iria frequentar a mesma festa que o Roberto Justus?'

Uma frase de efeito relativamente longa, mais ou menos conhecida e muito verdadeira afirma: 'Eu queria ter tantas mulheres quanto minha mulher acha que eu tive, tanto dinheiro quanto meus amigos acham que eu tenho, ser tão bonito quanto minha mãe acha que eu sou e ser tão bom de cama quanto eu mesmo acredito ser.' A frase é divertida não só porque bem formulada – mas principalmente porque é muito real. Comigo mesmo, são muito poucas as pessoas que sabem o quanto eu sou fiel e monogâmico; um número ainda menor sabe que eu nunca fui nenhum Bill Gates em relação ao meu patrimônio; e, como boa mãe judia, minha mãe realmente sempre me achou o homem mais bonito do mundo. A última parte do ditado eu prefiro não comentar.

Outra lição que minha exposição um pouco exagerada me ensinou é que terminar relações a dois ou comunicar a separação para um círculo restrito de amigos é muito diferente de ter cada detalhe do rompimento esquadrinhado pela imprensa.

O fim de qualquer relação já é suficientemente delicado por sua própria natureza; quando tudo se torna pauta para matérias e para notas em colunas sociais, é muito mais difícil e doloroso. Ainda mais porque enquanto a maioria das pessoas costuma terminar seus relacionamentos mas depois de algum tempo se sente livre para partir para outro envolvimento, no meu caso qualquer conhecida ou amiga já se tornava logo um novo romance.

E soa quase como um desrespeito ler em alguma revista que a pessoa de que ainda se gosta pode estar saindo com alguém. O que pode vir, numa situação normal, de alguma indiscrição pessoal, no caso de alguém conhecido se torna uma indiscrição de toda a mídia.

Quando meu casamento com a Adriane Galisteu terminou, foi noticiado até no *Fantástico,* numa matéria de 8 minutos. Era um pouco demais.

Já com a separação da Eliana, como nós dois decidimos tomar muito cuidado, tudo foi bem mais controlado.

Tínhamos combinado, por exemplo, de não dar entrevista nenhuma sobre o assunto – e respeitamos muito esse acordo.

Como com qualquer ser humano após uma separação, minha disposição no trabalho, durante esse período, também acabou afetada. Ainda mais porque eu era obrigado, mesmo que não quisesse, a acompanhar tudo que estava acontecendo com a Eliana pela revista, os jornais, a TV ou a internet. É uma experiência desnecessária, da qual a maioria das pessoas está livre.

Mas, como uma fórmula famosa sempre nos garantiu, o tempo cura tudo; e eu sempre acreditei que o trabalho cura muito mais.

O que havia ficado muito claro com as duas experiências, no plano pessoal, era que eu precisava urgentemente criar um mecanismo de defesa que funcionasse como um escudo em relação a toda aquela profusão de comentários, vindos de todas as fontes possíveis, que se acumulavam a meu respeito.

Houve gente até que insinuou que tudo aquilo não passava de uma estratégia, um investimento, uma alavancagem mútua de imagem. Era impossível levar isso tudo a sério – mas era igualmente impossível não se abalar, pelo menos como uma reação imediata, com tanto absurdo.

O apogeu de tudo foi quando alguém aventou a hipótese de que, nos dois relacionamentos, havia um contrato que estipulava item por item cada decisão e cada lucro com a exposição que, de parte a parte, o casal teria. É uma hipótese que começa sendo tão fértil quanto insólita – e que acaba sendo só ridícula.

O que levaria pessoas de nível e proprietárias de um patrimônio considerável como eu e a Adriane – ou eu e a Eliana – a fecharmos um contrato sobre nosso relacionamento? A que tudo isso reduziria meus relacionamentos – a uma cláusula comercial? Era uma ideia perversa, maldosa e que, talvez por isso mesmo, terminou sendo muito divulgada.

Outro comentário admiravelmente inventivo defendia a ideia – mesmo em termos psicanalíticos pueril e inconsistente – de que eu talvez estivesse me escondendo atrás de mulheres bonitas e poderosas; uma insinuação cujo objetivo era questionar minha heterossexualidade.

São insinuações que provam, muito mais que qualquer contrato ou qualquer homossexualidade, o quanto qualquer tipo de exposição – ainda mais se estiver aliada a algum prestígio – é sempre imperdoável para quem não tem talento.

Na época, o único meio de ignorar todas essas insinuações era repetir para mim mesmo, com um sorriso meio irônico, meio desolado – 'Contrato? Perfeitamente, que excelente contrato você fez, Roberto Justus, fechando um ótimo acordo com mulheres como a Adriane Galisteu e a Eliana'. Com o tempo, acabei não tendo mais tempo – ou disposição – nem para qualquer ironia.

Minha vida com a Eliana era bem mais próxima do normal que a com a Adriane – que é muito menos regrada, muito mais diferente de mim e com hábitos muito mais distantes dos meus (muitas vezes ela costumava jantar, por exemplo, às três ou quatro da madrugada – horário em que eu já estou dormindo faz tempo).

Todo esse falatório não vinha só das pessoas que liam revistas ou assistiam a programas de fofocas na TV – vinha também dos publicitários.

O mercado de propaganda sempre prestou mais atenção do que devia, por inveja ou indiscrição, na vida alheia – especialmente na vida das pessoas que conseguiram algum sucesso. Nem sempre foi assim: quando a lei 4.680

foi criada, as agências eram muito fortes e lutavam em conjunto, sempre unidas. É um espírito que se perdeu completamente. Hoje é um clichê muito comum repetir frases sobre a falsidade ou a vaidade dos publicitários; eu já não tenho mais tempo nem para isso.

Outra vantagem eventual dessa projeção é que o nome de alguém conhecido costuma abrir portas com mais facilidade – se pedia para alguma secretária ou assistente fazer contato com o diretor de *marketing* de alguma empresa, podia perceber que certo encantamento cercava meu nome. Toda essa notoriedade acabou me tornando uma pessoa instantaneamente bem-vinda em praticamente todos os lugares a que fosse. Não é desagradável.

Além disso, eu percebo que quando cumprimento algum funcionário novo, hoje, o peso de minha atenção é muito maior do que no período anterior à minha projeção como figura pública. E isso sempre faz muita diferença no interior da empresa – no sentido de criar um ambiente de trabalho em que as relações profissionais e hierárquicas parecem se otimizar ainda mais.

Quando alguém ainda não conhecia muito bem a Bates e perguntava que agência era essa, a resposta era imediata: 'É a agência do Roberto Justus'.

A relação entre o nome da empresa e o de seu presidente acabou muitas vezes invertida: não se tratava mais de 'o presidente da Bates', mas de 'a agência do Roberto'. Eu não me importava muito: era bom para os negócios.

O Aprendiz

Um dia, num fim de tarde, minha secretária me passou uma ligação que eu não esperava: 'Roberto, Walter Zagari para você.' Era um telefonema que iria mudar muita coisa em minha carreira – e na forma como as pessoas costumavam me ver.

'Roberto?', começou o Walter. 'Se eu te perguntar um negócio, você promete não desligar o telefone na minha cara?' O Walter Zagari é um profissional competente e amigo; um profissional que eu sempre admirei e com quem eu sempre me dei muito bem. 'Por que eu desligaria o telefone na sua cara, Walter?'eu perguntei. Foi quando ele me fez uma consulta que me surpreendeu muito.

'Você já pensou em ser apresentador de um programa de TV?' ele me perguntou.

Ao longo da minha carreira – uma carreira que já se estende por mais de 25 anos – eu já cheguei a pensar em muita coisa. Televisão era uma opção que nunca tinha me ocorrido.

Perguntei do que se tratava, com algum detalhe um pouco mais específico; ele disse que preferia marcar uma reunião para que a gente discutisse tudo com mais cuidado e mais calma; uma reunião que incluísse o Hélio Vargas, diretor artístico da Record. Marcamos.

Na reunião, os dois queriam saber se eu já conhecia *O Aprendiz,* um *reality show* que estava fazendo um sucesso absurdo nos Estados Unidos e era apresentado e conduzido pelo Donald Trump. Pouca gente na época conhecia o programa, que eu já tinha visto, por acaso, e gostado muito. Foi nesse momento que o Walter me surpreendeu ainda mais. 'O que você acha de apresentar uma versão brasileira de *O Aprendiz?*'

Embora sempre tenha tido contato muito direto, profissional e social, com vários artistas ligados a todo tipo de veículo – a TV, o cinema, o rádio – eu mesmo nunca tinha pensado em me dedicar a nada parecido. Minha mãe sempre me repetia que eu devia trabalhar na televisão. Nunca levei isso a sério: para mim, sempre achei que propaganda era bem mais divertido.

Durante essa primeira reunião com o Walter Zagari e o Hélio, o que mais queria era conhecer seus planos em relação ao programa e suas expectativas em relação a mim. A Record havia comprado a série da produtora detentora dos direitos, a Freemantle e todos na emissora apostavam muito no sucesso da fórmula.

Eles me explicaram que chegaram ao meu nome por me considerar alguém de certo modo bem próximo do perfil do próprio Trump – guardadas as proporções, eu também podia ser considerado um homem de negócios de sucesso, decidido e articulado, com boa experiência de administração, que sabia demitir, contratar e que já contava com relativa familiaridade com o público graças à minha exposição na mídia. Eu não quis dar nenhuma resposta imediata sem que conhecesse melhor o programa; minha primeira impressão era boa, mas era só uma impressão – e era só a primeira.

Pedi a série completa e passei a analisá-la sob o ponto de vista não mais de um telespectador casual, mas de alguém examinando o prospecto de um possível projeto e tentando descobrir de que forma, se é que de alguma, eu poderia me adaptar ao perfil que seria o mais eficiente para o programa.

Quanto mais via e revia a série – com sua sucessão de desafios e recompensas, a tensão de suas salas de reunião e a inteligência de seu formato, que fazia com que a *performance* profissional fosse tão importante quanto a individual –, mais me apaixonava.

O Aprendiz parecia uma exposição didática, em termos de entretenimento, de tudo o que, há algum tempo eu mais acreditava como profissional e empresário: minha convicção tanto de que informação é cada vez mais essencial para um bom desempenho no mundo dos negócios quanto de que saber resistir à pressão, ser estrategicamente inventivo e agir com ética é um teste cada vez mais importante para avaliar candidatos ao sucesso – e a um emprego.

Além disso, as provas de cada programa, que sempre punham em xeque a habilidade e a *expertise* de cada equipe em desafios profissionais muito exigentes, me pareciam bem diferentes – e muito mais consistentes – que as provas dos *reality shows* tradicionais, nos quais tudo parecia movido a um exibicionismo um pouco gratuito e a certo estilo de vaidade que não me parecia em nada relevante. *O Aprendiz* parecia uma improvável, mas muito estimulante contradição em termos – um *reality show* com cérebro –; um programa que claramente estava muito mais interessado em discutir capacidades, desempenhos e vocações que em exibir corpos ou bate-bocas. Liguei para a Record e respondi que aceitaria fazer o programa.

Era um projeto irresistível, mas que, eu sabia, me causaria algumas atribulações profissionais e pessoais. Pessoais na medida em que eu estava prestes a me submeter a um ritmo muito intenso de gravações num grande número de locais, em todo tipo de horário e tendo de tomar decisões difíceis – decisões que envolviam 15 demissões e uma contratação. E profissionais porque eu teria de adaptar o ritmo de todos esses meus novos compromissos de gravações aos meus próprios compromissos na agência e a todas as minhas responsabilidades como presidente de um grande grupo.

Mas o desafio me soava apaixonante – e não só porque me possibilitava estar envolvido com um show cujo bloco principal se passava justamente no local onde mais me sentia à vontade: uma sala de reunião.

Era apaixonante também por me dar a chance de mostrar um aspecto de minha personalidade e mesmo de minha figura pública que era o que as pessoas menos conheciam – e que era exatamente o que me parecia o mais importante: meu lado profissional.

O público em geral reagia à figura de Roberto Justus como um publicitário que frequentava reuniões sociais que eram noticiadas, que havia se envolvido com duas personalidades ligadas à TV e que parecia ter muito sucesso em suas empresas. Mas pouca gente sabia realmente sobre minha carreira ou conhecia meu desempenho como empresário. *O Aprendiz* passou a tornar pública uma outra imagem minha – uma imagem, a bem da verdade, muito mais próxima e fiel de tudo aquilo que realmente sou.

Além disso, o programa também levava informação para as pessoas: não só informação sobre dados de administração, *performance* profissional e até conhecimentos gerais, mas inclusive elementos de planejamento estratégico e formas de se pensar problemas e particularidades ligadas ao mundo dos negócios. Era uma contribuição importante que combinava cultura empresarial com muita informação. E informação de substância.

Comentei com a Record que gostaria muito que o programa fosse dirigido pelo José Amâncio – um profissional talentoso, seguro e experiente, que já havia trabalhado mais de 20 anos na Rede Globo, dirigido comerciais, sido sócio de produtoras e gravadoras e era uma pessoa de uma tranquilidade impressionante. Juntamente com o José Amâncio, veio o Arapinha, que foi fundamental para o sucesso do programa e acabou escrevendo este livro comigo.

Eu tinha conhecido o José Amâncio quando ele dirigia o show da Eliana e nós sempre nos demos muito bem. O Hélio Vargas o consultou, ele aceitou e começou a formar sua equipe, chamando os produtores, coordenadores, o redator, os editores, os cenógrafos, os fotógrafos e os produtores. Em muito pouco tempo – como é muito comum, com os prazos que se têm em televisão – a equipe estava formada e os trabalhos começaram.

Uma pessoa fundamental e que me assessorou muito bem durante todo esse processo foi meu sócio Marcos Quintela. Na época, o Quintela era sócio de uma das agências de meu grupo, a Maestro. Ele viria merecidamente a crescer muito na Newcomm e já havia tido muita experiência na televisão e no setor de entretenimento. Quando o conheci, também através da Eliana, ele a empresariava – com a competência de sempre.

O Quintela tinha sido um dos integrantes de um conjunto de muito sucesso na década de 80 e 90, o Dominó, e desde cedo, portanto, já acumulava experiência com shows, já tinha vários relacionamentos importantes ligados à televisão e conseguia enxergar toda a mecânica do processo com clareza e eficiência.

Com um senso de humor irresistível, uma velocidade de resposta só comparável à acidez de seu raciocínio, um absoluto senso de lealdade e muito conhecimento, o Quintela era a pessoa ideal para me assessorar em questões que iam desde certos detalhes em meu contrato até o próprio tratamento de minha imagem como apresentador. Hoje, ele continua meu sócio na Maestro e se tornou também vice-presidente do grupo Newcomm e diretor de operações da Young & Rubicam.

As primeiras reuniões transcorreram muito bem. Todos pareciam entender as possibilidades do projeto e, como o José Amâncio formou uma equipe na qual muitos profissionais já haviam trabalhado na produção ou na edição de comerciais, todos souberam compreender os motivos que me faziam, desde o início, exigir o máximo de cuidado em tudo. Desde o início, também ficou muito claro que precisávamos tomar alguns cuidados na adaptação do formato para o Brasil.

Demitir alguém nos Estados Unidos, em primeiro lugar, tem um sentido muito diferente do de demitir alguém no Brasil. A realidade é outra, os valores são outros, e o próprio ato da demissão é encarado de uma forma fundamentalmente diferente. Uma demissão para um americano pode ser um embaraço técnico; para um brasileiro – e, o que é pior, para um brasileiro na atual situação do país – é um trauma pessoal que pode soar quase como uma catástrofe irremediável.

É claro que a demissão em *O Aprendiz* era simbólica: ninguém era realmente demitido de algum emprego, mas simplesmente da possibilidade de ser contratado. Ainda assim, o desemprego para os candidatos que tentam se tornar os aprendizes de Donald Trump é um problema muito atenuado pela prosperidade americana e o alto índice de produtividade; entre nós, o desemprego é um problema social enorme com contornos muito bem definidos – e um perfil singularmente sinistro.

Em nossas primeiras reuniões de criação, por isso, fiz questão que ficasse bem claro que eu não pretendia me comportar como Trump em nenhum momento, não só porque sempre tive meu próprio estilo e minha própria personalidade, mas porque nossa realidade fazia com que a demissão de alguém, conduzida da forma como Trump a conduzia no programa americano, se reproduzida literalmente entre nós, simplesmente não faria o menor sentido – e transformaria nossa versão numa sombra deselegante, virulenta e gratuita do modelo original.

Por isso, sempre fiz absoluta questão de que todas as demissões – e isso tanto na primeira quanto na segunda temporada – fossem as mais justas e as mais justificadas que me fosse possível. Sempre tive plena consciência de como ser demitido em rede nacional e num programa das dimensões de *O Aprendiz* poderia soar problemático – mesmo levando-se em conta o alto nível de nossos candidatos. O problema, afinal, não era só o candidato demitido – era a própria referência a qualquer demissão num país no qual o desemprego é um problema social tão crítico. Eu sempre considerei que era preciso demitir, antes de tudo, com muito respeito – tanto pelo candidato quanto pelo telespectador. E esse respeito só poderia se configurar concretamente no meu empenho em oferecer todas as possibilidades para que meu aprendiz se defendesse e exibisse qualquer qualidade capaz de mantê-lo na disputa.

A própria fórmula foi objeto de muita discussão. Nós sabíamos que o '*You're fired!*' de Trump havia se tornado um bordão nacional, com a extraordinária popularidade da série. E queríamos encontrar não só o tom certo, mas inclusive a formulação mais apta a se transformar, também, numa frase que acabasse igualmente popular.

Várias opções foram criadas, estudadas e experimentadas. Cogitou-se desde o mais direto 'Você está despedido' ao mais neutro 'Você está dispensado', passando-se até por alternativas mais diplomáticas e retóricas – como 'Você vai ter de nos deixar' – ou rombudamente concisas – como 'Acabou'.

No final, terminamos nos decidindo pela opção que nos parecia a mais natural e que conseguia se manter equidistante tanto da virulência da fórmula 'despedido' quanto da introversão um pouco imprecisa e polida demais – e, portanto, quase covarde – da alternativa 'dispensado'. Em pouco tempo, a frase escolhida – 'Você está demitido!' – era reproduzida em programas de humor, jogos universitários, em piadas com amigos, reuniões, festas ou conversas descontraídas. Havia se tornado um bordão nacional.

Depois que os primeiros programas foram ao ar, sempre existia alguém que passava por mim nas ruas ou me apontava em algum restaurante e, de forma quase sistemática, não resistia a me gritar 'Você está demitido!'. Nosso cuidado quase maníaco em não nos darmos por satisfeitos até que tivéssemos definido a fórmula correta havia valido a pena.

Outra ponderação muito curiosa feita pela equipe de criação dizia respeito ao caráter da sala de reunião – que deveria ser preservada a todo custo como um local intocável e quase sagrado na estrutura do programa. Esse, afinal, era o local onde o destino de cada um dos participantes era decidido e de onde sairiam os dois finalistas para a grande final que decidiria quem seria contratado. Era um local que exigia certa solenidade.

Houve até quem ponderasse que, no programa americano, ficava claro que os candidatos não estavam lá para serem contratados por Donald Trump – mas para se tornarem Donald Trump. Era essencial, para o sucesso de nossa versão, que meu comportamento na sala de reunião inspirasse absoluta confiança – e que cada uma de minhas decisões fosse segura, justa e embasada pelos argumentos mais sólidos. Minha figura não devia ser apresentada só como a de um empresário que soubesse decidir sobre demissões – mas quase como a de um ideal.

A equipe de criação e a direção, por isso, consideravam que, quando entrasse na sala de reunião, minha presença precisaria se revestir da mais profunda autoridade: era essencial até que meu 'boa noite' fosse dito com a entonação correta e com o equilíbrio exato de cordialidade e rigor.

Segundo eles, tínhamos a obrigação de superar os americanos nesse ponto: nossa sala de reunião, muito mais que um local onde decisões corporativas e executivas seriam tomadas, era quase uma caverna primal onde o Pai da horda primitiva iria se reunir para definir quem era o mais apto para continuar na luta pela sobrevivência e quem não. Toda a estratégia de nossa sala de reunião passou a ser pensada no interior desse modelo conceitual: a sala era escura, sombria e ameaçadora como uma caverna;

a trilha tornava tudo ainda mais tenso e o próprio ritmo da edição, combinado à forma como tudo era enquadrado, acentuava ao máximo o hiato entre a minha figura e a dos candidatos. Tudo se resumia a estabelecer um abismo entre de um lado a autoridade não só corporativa, mas paterna e, de outro, a ambição não só para um emprego mas para uma aprovação de caráter técnico e moral.

Minha voz, que sempre foi grave, e minha elocução, que sempre foi rápida, eram duas vantagens adicionais para a caracterização da figura que entrava em quadro cada vez que aquela porta se abria na sala de reunião para discutir o desempenho das equipes e dos candidatos.

Após a estreia do programa, um dos dados mais curiosos apontados pela pesquisa, aliás, havia sido justamente o de que uma das faixas etárias em que a audiência mais estava crescendo era justamente a que abrangia dos 9 aos 13 anos de idade. Mais uma vez, tínhamos acertado: as crianças viam na *performance* e no ritual da sala de reunião exatamente o que a caracterização de tudo as levava a vislumbrar – menos um empresário decidindo sobre uma contratação que um pai apontando as falhas e os méritos de um grupo que se comportava antropologicamente como uma tribo primitiva. *O Aprendiz* estava no caminho certo: a autoridade da decisão estava não só preservada e mantida, mas inclusive otimizada.

Quando Bob Cousins, o representante da Freemantle chegou para supervisionar a pré-produção e se inteirar de nossas decisões a respeito das provas, ficou muito satisfeito com tudo. Sua participação nessa etapa foi importante na medida em que nos revelou certos segredos de bastidores que acabariam sendo muito úteis (a saída de todos os participantes com suas malas em direção ao táxi que os leva embora, por exemplo, é toda gravada numa mesma noite, com posições de câmera idênticas: após a demissão de cada um, a única cena que ainda precisa ser gravada é seu depoimento no interior do táxi, comentando sua demissão – medida que não só acaba facilitando muito a produção, mas que inclusive é extremamente oportuna no sentido de preservar ao máximo a reação do demitido).

Quando Bob soube das adaptações que precisariam ser feitas em determinadas provas (como os 10 itens na prova da negociação, na qual as equipes eram obrigadas a negociar pelo menor preço em pouco mais de 8 horas, uma lista de itens curiosos) ele soube compreender muito bem a necessidade específica de certas adaptações para uma cultura como a nossa.

Ele só apresentou certa resistência a duas provas, entretanto – duas provas, aliás, criadas por mim: a da Business School São Paulo e a do investimento. Embora ele acreditasse que fossem duas provas sem muito potencial dramático para a televisão, as duas acabaram sendo muito eficientes. A da Business School, na verdade – uma série de exercícios de raciocínio e lógica aplicada – se tornou um grande sucesso, provavelmente por seu caráter de jogo ou *quiz* show; formato que é sempre infalível na TV.

Embora seu resultado final tenha causado certa confusão para a avaliação das operações na sala de reunião, mesmo a prova do investimento pôde proporcionar momentos mais surpreendentes e até divertidos do que se podia esperar.

Era crucial que eu me sentisse à vontade na frente das câmeras – uma experiência que, para alguém como eu, que nunca tinha apresentado qualquer tipo de programa nem estado de forma tão sistemática na TV, podia ser algo tão delicado quanto ardiloso. Para isso, acabamos combinando que, antes do primeiro programa faríamos pelo menos um piloto, utilizando como modelos – isto é, como substitutos de nossos candidatos – as próprias pessoas da produção.

Produzimos, assim, um piloto que incluía não só a sala de reunião, mas inclusive uma simulação de nossa primeira prova – a venda de flores pelas ruas da cidade. É claro que, para manter o sigilo de cada prova, substituímos o produto que seria vendido – mas a mecânica e até o prazo de execução foi muito próximo do da prova real.

Durante a sala de reunião desse primeiro piloto, lembro-me muito bem do quanto estava nervoso. A quantidade de detalhes que deveria lembrar parecia imensa e mesmo a ordem pela qual deveria conduzir os procedimentos da reunião me parecia misteriosa e difícil de seguir. Aos poucos, até nesse piloto, fui me sentindo mais à vontade – e, no final da reunião, pude pelo menos começar a suspeitar que, embora estivesse naturalmente muito distante do que poderia considerar como um resultado aceitável para minha atuação, atingir um nível mais decente era algo que talvez não fosse tão impossível.

O projeto começava a parecer um desafio cada vez mais intenso, estimulante e irresistível. Era como dirigir, participar da criação e apresentar uma grande campanha para um cliente rigoroso e muito exigente. Esse cliente era o público potencial do programa e, em último caso, eu mesmo: em nenhum momento me permiti abrir concessão nenhuma que prejudicasse ou comprometesse a qualidade do programa. Foi uma atitude que acabou se refletindo em toda a equipe.

Era a minha imagem, o meu rosto, o meu nome e a minha carreira que estariam sendo expostos de uma forma muito implacável para a avaliação de todo o país; era um momento em que não podia deixar passar nenhum deslize de ninguém – e muito menos de mim mesmo.

Outro cuidado importante que tivemos foi com a frase que assinaria o primeiro bloco do programa. No original americano, Trump se despedia do telespectador de dentro de seu helicóptero, provocando – 'Quem vai conseguir? Quem vai ser derrotado? E quem vai ser – *O Aprendiz?'*

Nós todos concordamos que esse talvez fosse um final que, no Brasil, pudesse soar pretensioso: a expressão *'O Aprendiz'* ainda não tinha a popularidade que acabou tendo, e é evidente que sugeria um mestre que conduzisse e julgasse os candidatos. Eu estava convencido de que precisaria tomar muito cuidado com minha imagem – especialmente nesse primeiro bloco, que funcionava não só como uma apresentação do programa, mas, principalmente, como uma apresentação de mim mesmo.

A opção criada para substituir a pergunta de Trump pelo nosso redator, o Arapinha, resumia bem o que eu mesmo pensava da série. No final do primeiro bloco, igualmente no interior de um helicóptero, eu encarava a câmera e afirmava: 'Fama e celebridade são para amadores. Este é um programa para profissionais.'

Era uma fórmula que resumia boa parte do que eu esperava que o público entendesse. *O Aprendiz* não havia sido criado e não seria apresentado para estimular qualquer tipo de exibicionismo. O que eu pretendia deixar escandalosamente claro era que o que me interessava julgar era a capacidade dos candidatos para pensar e se comportar como homens de negócios – como profissionais. A diferença entre profissionais e amadores sempre me pareceu decisiva para estabelecer padrões de competência e de excelência. Fama e celebridade são para amadores.

O primeiro bloco, inclusive, acabou sendo editado antes de tudo (muitas vezes, tanto na TV quanto no cinema, a ordem do que é visto não precisa coincidir necessariamente com a ordem do que é gravado, filmado ou editado). Eu me lembro perfeitamente do dia em que fui até a produtora de som para assistir ao trecho finalizado.

Era um domingo no fim de tarde; eu estava com minha namorada na época, Quintela e meus dois filhos mais velhos e íamos assistir a *Mar Aberto*, um filme barato e elogiado que estava fazendo algum sucesso como o grande *cult movie* da temporada. Antes de irmos, passamos todos na Jukebox, a produtora do músico Luís Macedo, que o José Amâncio havia contratado para criar a trilha.

Nós já tínhamos gravado, evidentemente, todo o material que havia sido editado e eu já tinha tido algumas indicações vagas de como a equipe havia decidido editar o primeiro bloco – um bloco importantíssimo, porque iria dar o tom do estilo e da forma como toda a série, na verdade, iria ser tratada. Eu sabia que algumas partes estariam em preto e branco, que, em todo o início, tanto os efeitos de imagem quanto os de som tinham sido muito elaborados e que tudo estava planejado e pensado para provocar um efeito bombástico – de forma muito mais agressiva, inclusive, que o programa original.

Eu tinha certa resistência à utilização do preto e branco e não conseguia imaginar como poderiam ter ficado determinados efeitos, mas, quando vi as primeiras imagens da câmera aérea que percorria os arranha-céus de São Paulo, numa velocidade quase alucinada, até me descobrir sobre um prédio alto, sozinho e relativamente imponente, afirmando – 'Essa é a minha cidade' –, sabia que, também nesse caso, tínhamos acertado perfeitamente o tom.

Todos os detalhes desse primeiro bloco haviam sido discutidos à exaustão, desde os motivos que me faziam começar mencionando São Paulo como exemplo ao mesmo tempo positivo e negativo de uma cidade marcada por sua obsessão (ou pelo folclore de sua obsessão) por trabalho, até o modo como me apresentava e descrevia a formação relativamente recente do grupo Newcomm. Mas mesmo conhecendo em minúcias os argumentos que justificavam cada imagem e cada frase, nada podia ter me preparado para o impacto que foi assistir a tudo editado, já com música, praticamente pronto para ir ao ar.

Tudo com que sonhávamos estava lá, embalado por uma música que lembrava certas trilhas do cinema americano, com seus metais estupendos, a marcação dramática de seu ritmo e suas modulações que acompanhavam de forma impecavelmente eficiente minhas declarações e as próprias promessas do programa.

Era uma abertura que conseguia ser fiel à minha imagem como empresário e apresentar traços de minha personalidade que o público em geral não conhecia: fosse a firmeza com que encarava o mundo dos negócios e a segurança com que afirmava meus princípios ou minha convicção em limitar o conteúdo do programa à discussão de uma entrevista de emprego que seria conduzida com o máximo de equilíbrio, justeza e rigor. Outros *reality shows* poderiam ter suas qualidades, mas nenhum, eu acreditava, estava pronto para oferecer um tipo de diversão que aliava tão bem o entretenimento com informações bem úteis, a meu ver, para a formação profissional de cada um. *O Aprendiz* estava nascendo.

Outro elemento essencial dessa abertura era o trecho, perto do fim, em que eu sugeria que talvez quem estivesse me vendo poderia até me reconhecer de colunas sociais, fotos em revistas ou entrevistas na televisão. 'Mas nós vamos falar de algo que vai te interessar muito mais', eu avisava. E concluía: 'Nós vamos falar de negócios'. Muita gente, como eu suspeitava, estava muito interessada em ouvir falar de negócios.

O Aprendiz estreou numa terça-feira e foi um sucesso. No dia seguinte ao da estreia, o número de pessoas que me cumprimentava e elogiava era surpreendente. A própria reação da plateia que acompanhou ao vivo a transmissão da estreia a convite da Record, no restaurante Verdi, em Higienópolis, já sinalizava que tínhamos feito as opções corretas: era visível a empolgação de todos tanto após a exibição do primeiro bloco quanto durante a apresentação da tarefa. As pessoas não conseguiam desgrudar os olhos dos telões espalhados pelo restaurante, fascinadas pelo drama e o desafio que as equipes enfrentavam e pelo ritmo da edição, que aproximava muito o programa todo dos ritmos da edição de publicidade. Por todos os convidados, a sensação de admiração continuava evidente principalmente quando começou a primeira sala de reunião.

Eu sabia que todos estariam naturalmente muito curiosos para ver como eu me sairia e que essa curiosidade poderia ser tão saudável quanto revelar (especialmente entre o mundo publicitário) certa predisposição envenenada para me surpreender no menor deslize – quando não no conjunto geral de minha apresentação. Todos se surpreenderam muito – inclusive jornalistas respeitados e de prestígio. Um deles, que eu sempre admirei muito – e que havia se formado pela boa escola do *New Journalism* americano – era o Nirlando Beirão, que também veio me cumprimentar, entusiasmado, e escreveu um belíssimo artigo na *Carta Capital* a respeito do programa.

Todo o cuidado, todo o trabalho e todo o nosso empenho tinham valido a pena. Eu estava muito orgulhoso do programa e da equipe: *O Aprendiz* tinha acabado se tornando, efetivamente, o programa que nós tínhamos planejado que fosse.

A reação, em geral, foi maravilhosa. No dia seguinte, eu comecei a receber e-mails, cartas e bilhetes elogiando ou comentando o programa – correspondência que praticamente não parou mais.

Chegavam elogios de publicitários, empresários, personalidades – de Judith McHale, presidente do Discovery Channel, ao Mauro Salles (que desejou muito êxito em minha estreia mas não deixou de anotar, com bom humor, que 'o título do seu programa (*'O Aprendiz'*) não tem nada a ver com você'); de Paulo Bonfá (que comentou que 'o apresentador parecia um veterano!') ao Luis Grottera e o Sergio Amado; de colunistas como o Giba Um (que escreveu 'eu que, vira e mexe, lhe brindo com notas apimentadas, tenho até direitos adquiridos para lhe mandar esse e-mail: aceite meus parabéns, o programa é impecável') a empresários como John Casablancas ('Não conte nada ao Donald', ele pediu, 'mas a versão brasileira é bem melhor que a americana!').

Conforme os episódios se sucediam, chegavam inclusive cartas de vários empresários interessados em entrar em contato com alguns dos participantes que haviam sido demitidos para uma possível proposta de emprego, o que me deixava muito orgulhoso e cada vez mais convencido do bom nível de nossos candidatos.

Cartas de professores universitários comunicavam que os programas eram gravados e utilizados como material didático em aulas de *Marketing*, Teoria das Relações Humanas, Gerenciamento de Eventos e até Teoria Neoclássica da Administração. Muitas pessoas escreviam pedindo emprego, num tom que oscilava da consulta descomprometida mas interessada ao mais aberto desespero (uma senhora de Diadema, de 52 anos, começou sua carta de um modo que comprovava de forma bem enfática como nossa preocupação em relação à maneira de demitir os candidatos era relevante: 'preciso muito de um trabalho', ela confessou, 'e como o senhor é uma pessoa muito bem relacionada, quero lhe pedir pelo amor de Deus arruma um serviço de montagem para mim fazer em casa'). Profissionais de todas as áreas escreviam comentando que ter assistido ao programa fazia com que conseguissem adotar uma postura mais firme e evoluírem com muito mais segurança em seus trabalhos.

Mas, provavelmente, a carta que mais me marcou foi a de uma senhora de 78 anos, de São Paulo. 'Conheci os primórdios da televisão brasileira nos anos 50, quando ainda morava no Rio de Janeiro, onde nasci', ela anotou. *'Apesar dos avanços grandiosos da tecnologia, vi (salvo raríssimas exceções) que o nível da mesma vem baixando a cada dia, limitando-me a ver praticamente só os jornais informativos para manter-me atualizada. Agora, o seu programa O Aprendiz tem me deixado encantada. Tenho aprendido bastante com sua apresentação maravilhosa. Você é uma pessoa educada, generosa, amiga, que se esconde por trás do grande e bem-sucedido publicitário. Quem nos dera um dia possam aparecer outros programas como o seu e pessoas tão maravilhosas como você para apresentá-los.'*

No meio de tanta agitação, do burburinho gigantesco que o programa andava provocando e de algumas críticas gratuitamente agressivas, foi uma carta que me comoveu muito; uma carta que me comoveu tanto, na verdade, que acabei enviando flores à essa admiradora que tinha quase a mesma idade que minha mãe.

A estrutura do programa, excetuando-se o primeiro e os dois últimos programas da série, sempre se mantinha inalterável. Começava com a reação dos candidatos que tinham escapado da demissão à volta dos dois que se mantinham na disputa, tendo sido poupados na sala de reunião; seguia com o anúncio da tarefa; continuava com meu comentário curto sobre o conceito de cada prova; seguia com a execução da tarefa; o resultado – ou na sala de reunião ou em algum local relacionado à tarefa –; a recompensa dos vencedores; a sala de reunião final para decidir quem seria eliminado e, finalmente, o depoimento do demitido no interior do táxi, comentando sua participação e os motivos possíveis que o teriam levado a ser dispensado.

Era um formato que obedecia a uma lógica rigorosa, em termos de televisão, e que oferecia um produto muito diferenciado em termos da grade de programação de qualquer emissora. *O Aprendiz* conseguia combinar o drama da realização das tarefas com a revelação das relações pessoais entre os participantes ao mesmo tempo em que cada um exibia suas principais qualidades profissionais e individuais; além disso, as informações sobre pontos importantes de São Paulo – locais como a Bolsa de Mercadorias & Futuros ou o Mercado Municipal – eram complementadas por comentários quase técnicos sobre a qualidade que estava sendo posta à prova por cada novo desafio; a decepção e a frustração da equipe perdedora eram contrastadas de forma às vezes até cruel com a euforia da equipe vencedora em suas recompensas e tudo atingia seu ápice na sala de reunião, onde se decidia quem seria o eliminado – podendo contar inclusive com um segmento final, para que a decisão sobre a eliminação não terminasse de forma muito abrupta, com os comentários no táxi, que funcionavam como o último estertor após a grande convulsão da demissão.

A repercussão dos comentários sobre cada tarefa, que introduzia sua execução, e na qual eu me dirigia à câmera explicando a justificativa técnica de cada prova, acabou sendo muito maior do que esperávamos. Em pouco tempo, pessoas me escreviam ou se dirigiam a mim em locais públicos perguntando detalhes de um ou outro comentário e querendo saber mais sobre trechos específicos.

Nos Estados Unidos, esses trechos acabaram ganhando o apelido de *'donaldisms'* – e entre nossa equipe, meus comentários ficaram conhecidos, em parte pela facilidade de referência, em parte por pura brincadeira, como 'justismos'. Eram comentários que, embora fossem originalmente escritos pelo redator do programa, acabavam na verdade sendo redigidos a quatro mãos, na medida em que eu sentia que podia oferecer uma contribuição importante não só para ajustar as frases ao meu modo de falar mas principalmente pela minha experiência pessoal no mundo dos negócios, da administração e da comunicação.

Os 'justismos' se tornaram tão populares e eram citados, comentados e referidos por tantas pessoas e em tantas áreas, que talvez valesse a pena reproduzi-los – possuam hoje o valor que for –, transpostos quase que literalmente das versões que foram ao ar.

JUSTISMOS – PRIMEIRA TEMPORADA

1) Um dos grandes segredos da venda corpo a corpo é saber oferecer o produto para quem não está interessado em comprá-lo. Para isso, você precisa conhecer bem o produto que está oferecendo, saber de suas possibilidades, suas limitações – e escolher bem o local da venda. Mas o mais importante é entender o perfil e as carências de quem pode se interessar pelo seu produto – e só então ajustar o discurso certo para essa venda.

2) Quando se trata de criatividade, o bom nunca é o suficiente: você precisa se superar, ultrapassar seus próprios limites e buscar o que é fora-de-série – o que é outstanding. *Existem dois caminhos básicos para reter a mensagem na memória do consumidor: pela emoção – ou você o emociona -, e pela diversão – ou você o diverte. Na verdade, o melhor de tudo é quando se quebram as regras: você precisa sempre resistir ao que é comum, previsível, esperado. Esse é um talento muito raro de encontrar numa única pessoa. Quando se leva em conta que um anúncio malfeito e um anúncio bem-feito custam o mesmo para serem veiculados, o investimento no anúncio malfeito vai ser sempre muito maior porque você precisa veiculá-lo muito mais para passar exatamente a mesma mensagem.*

3) Negociar é uma arte delicada, cheia de estratégias – e sempre surpreendente. Você nunca sabe quem vai encontrar pela frente, quais os pontos que são negociáveis, onde é melhor ceder ou não. Você precisa saber com muita exatidão o que trazer para a negociação e o que você pode deixar de fora. E tudo tem de ser feito com muita delicadeza – porque a melhor negociação é aquela que dá a impressão de que todos fizeram um grande acordo e todos os envolvidos estão felizes. Além disso, como tudo na vida, você tem de se esforçar muito para garantir cada conquista e nunca se dar por vencido. Porque, na maioria dos casos, o melhor negócio ainda está por vir.

4) Imaginar novas estratégias de venda para qualquer produto é sempre um bom exercício, levando-se em conta tudo o que a marca é capaz de oferecer e se você for capaz de tirar o máximo de proveito de suas possibilidades.

5) Numa feira como o Salão do Automóvel, por exemplo, você parte de um evento dirigido e organizado para o mercado com o qual você quer falar – o que pode ser uma vantagem. A desvantagem, por outro lado, está no fato de que você está disputando um espaço que já é extremamente competitivo. Além disso, é importante ter em mente que trabalhar com uma marca de ponta é um desafio para qualquer um. Você precisa saber elaborar alternativas para vender um produto que é o sonho de consumo de qualquer pessoa que gosta de carro. Esse é mais um exemplo que comprova como o melhor vendedor deve transformar o que está vendendo em um sonho – um sonho que em geral as pessoas adorariam ter, mas poucos têm oportunidade de concretizar.

6) Entre vender produtos e vender serviços existe uma diferença fundamental. Quando você está vendendo um produto, está vendendo algo físico, tangível. Quando você está vendendo um serviço, você está criando um relacionamento: portanto, faça tudo para tornar memorável essa experiência para os seus clientes. Quando você está vendendo serviços, está oferecendo para o seu cliente um conjunto de atividades que determina a imagem da empresa que você está representando. Por isso, todo cuidado é pouco: você deve estar consciente de que o consumidor leva tudo em conta – da qualidade do que é oferecido aos detalhes que envolvem sua oferta. Na maioria das vezes, quando as pessoas estão comprando um serviço, elas procuram mais que produtos de qualidade – o que elas querem é uma experiência de qualidade. Analisando dessa forma, o ato de compra passa a não ser mais encarado como simples despesa, mas sim como uma espécie de investimento.

7) Quando as pessoas visitam uma feira de antiguidades ou um mercado ao ar livre não-tradicional, estão necessariamente à procura de algo diferente. Mas existe outro impulso que motiva o consumidor – bem mais do que produtos diferenciados, ele está à procura de produtos que os diferenciem: produtos que, uma vez adquiridos, reforcem ainda mais a individualidade de cada um. Portanto, para quem pretende oferecer produtos numa feira como essa, o segredo está em descobrir como personalizar cada mercadoria. Isso implica uma habilidade tanto para selecionar itens originais quanto para transformar de forma criativa artigos já consagrados. Personalizar gera empatia. E empatia gera consumo.

8) Uma das regras básicas que faz o mundo dos negócios funcionar e evoluir é muito simples: não existe negócio que não possa ser melhorado. Você precisa se superar o tempo todo. Você precisa buscar não o que te faz bom, mas o que pode te fazer muito melhor. É o seu empenho nessa busca que vai acabar determinando se o seu negócio vai crescer e se renovar ou estacionar no mesmo patamar. O cliente deve se habituar com a qualidade do que é oferecido – não com a forma pela qual você oferece essa qualidade. Por isso, o ponto-de-venda do seu negócio – especialmente no setor de serviços – não pode ser considerado só como um local fixo, onde tudo acontece sempre da mesma forma. Você precisa ter consciência o tempo todo de que o seu negócio, mais que uma forma engessada de comércio, traz diferentes desafios no dia-a-dia. Desafios que você só pode enfrentar com sucesso se estiver criando continuamente novas formas de estimular o consumo. Porque o consumidor não quer só qualidade – ele quer dedicação.

9) Saber investir é um teste definitivo para todo empresário. Ao investir, você precisa saber avaliar tendências, ter uma visão panorâmica de tudo o que está acontecendo e saber tomar decisões rápidas. Todo esse conhecimento é fundamental, porém, por uma razão prática: muitas vezes é mais fácil construir um patrimônio que mantê-lo. Investir bem, desse modo, pode fazer toda a diferença entre ter e manter. O ato de investir não é uma ciência exata – mas, com certeza, é um ato que não admite qualquer jogo. Por isso, ninguém deve jogar quando está investindo. É uma péssima opção.

10) Em termos de equipe, vender produtos por meio de televendas exige pelo menos cinco habilidades: você precisa saber se organizar; saber criar um roteiro convincente; precisa saber quais qualidades você deve anunciar; precisa entender o seu produto e saber como se apresentar. Seu planejamento também deve levar em consideração seu perfil como apresentador e o público com quem você quer falar. É um exercício que, em pouco tempo, acaba envolvendo um bom número de estratégias. Seu resultado depende de sua habilidade para tirar o melhor proveito de cada uma delas.

11) Para criar um home office *com um plano determinado e maximizar seu valor comercial é muito importante pensar não só em seu investimento como também nas questões de funcionalidade do seu ambiente. Por isso, a forma de combinar cada acessório deve ser considerada com tanto cuidado quanto o valor de cada peça: é preciso descobrir a melhor maneira de transformar um espaço doméstico em um centro eficiente de trabalho. Isso porque a criação e a comercialização de um espaço para trabalhar também têm de ser um bom negócio.*

12) Para pôr à prova a capacidade de raciocinar das pessoas, certos testes que parecem elementares colocam muito em jogo – desde rapidez de dedução até a capacidade de se imaginar soluções originais. Isso é muito importante porque quem sabe decidir o que é melhor para uma empresa tem de provar, antes de tudo, que sabe raciocinar bem. E só a lógica pode nos revelar quem pensa com mais clareza e rapidez.

13) Você precisa ter um grande senso de organização para assumir qualquer setor de um evento de porte. O número de variáveis que precisa ser controlado é muito grande – e quando se trata de qualquer tipo de entretenimento de alto nível todo deslize pode ser desastroso. Afinal, as pessoas sempre têm o direito de exigir que tudo funcione perfeitamente, que sejam bem tratadas e que cada detalhe tenha a qualidade que o evento promete. No fundo, você não está só participando da organização de um evento: está ajudando a construir uma experiência que nunca deve ser menos que memorável.

14) Ter consciência do seu papel na sociedade é essencial para todo empresário. E a sociedade começa nas pessoas – especialmente nas mais carentes e as que mais precisam. O empresário que trabalha bem deve ter em mente que nem todo mundo pode trabalhar como quer – nem como precisa. Por isso, é fundamental saber como desempenhar um papel relevante em relação a quem precisa de ajuda. Ajudar os outros a se sentirem bem, no mínimo, faz com que a gente se sinta melhor. E nenhum empresário que quer fazer um bom trabalho pode se esquecer disso.

JUSTISMOS – SEGUNDA TEMPORADA

1) A venda de produtos muito específicos, como papel higiênico ou papel-toalha, é um grande teste para pôr à prova a agilidade e a capacidade de organização de cada equipe. E a logística é a grande responsável por entregar o produto certo, na quantidade correta, no local determinado e nas melhores condições. Uma boa operação de logística é uma das melhores garantias para que todo bom negócio melhore cada vez mais.

2) Mesmo a criação de uma coleção de moda nunca pode se limitar a critérios só de beleza – ou satisfazer só aos estilos e as tendências. Toda peça de uma coleção é também, antes de tudo, um produto – e como qualquer produto também obedece às mesmas leis de mercado. Nenhuma criação pode ocorrer de forma abstrata, sem levar em conta as demandas essenciais de todo consumidor – mesmo que sejam demandas da sua imaginação. Porque até a fantasia pode ser um grande fenômeno de mercado. Para todo empresário ligado à moda, o maior desafio do seu setor é descobrir como transformar bom gosto em um bom negócio.

3) No mundo dos negócios, o que conta não é apenas o que você pretende ou o que você pensa que merece – é o que você negocia. Todo bom negociador, dessa forma, não deve ser só uma pessoa de muita agilidade – deve ser também uma pessoa de muita intuição. Porque, quando alguém acredita que está fazendo um ótimo negócio, pode sempre existir alguém fazendo um negócio muito melhor. Toda negociação deve ser sempre muito objetiva para poder ser mais eficiente. Nesse sentido, prestar muita atenção aos mínimos detalhes acaba fazendo toda diferença.

4) Para todo empresário, qualquer exercício de administração é sempre um desafio precioso – e tentar compreender e sugerir alternativas para os problemas de uma cidade como São Paulo é um desafio que envolve todo tipo de habilidade: a percepção para identificar problemas, o talento para equacionar soluções, a agilidade para levantar dados e a capacidade para imaginar alternativas. Como numa empresa, administrar uma cidade também exige decisões rápidas, racionalidade e muita ética. Seja uma empresa ou uma cidade, administrar bem não é só uma questão de eficiência – é principalmente uma questão de sensibilidade.

5) Quando se trata de qualquer acervo relevante, você pode conhecer um patrimônio ao qual não teria acesso de nenhum outro modo – e esse conhecimento pode ser muito importante para a cultura e a formação de cada um. Mas um acervo também precisa se tornar viável – e um teste imprescindível para todo empresário hoje em dia é conseguir planejar e criar estratégias de captação de recursos para projetos especiais. O melhor desafio estratégico para todo bom planejador é descobrir como atrair empresas para um projeto que pode trazer benefícios para todos.

6) Alguns testes à primeira vista muito básicos ou quase sem sentido podem exercitar o talento de resolver com rapidez situações inesperadas ou problemas muito originais. O que soa simples exige atenção, criatividade e agilidade – qualidades que todo empresário precisa ter para poder decidir bem. A administração ideal é a que equilibra o máximo de eficiência e o máximo de criatividade – e só quem considera todas as possibilidades de resolução de um problema é capaz de ser muito mais criativo justamente no momento mais crítico.

7) Quando se tem muito pouco tempo para oferecer qualquer tipo de serviço, o mais importante é descobrir de que forma rentabilizar ao máximo sua oferta. Por isso, antes de tudo, é preciso pensar em todas as possibilidades viáveis e avaliar quais podem ser comercialmente mais eficientes.

8) Criar e produzir um acontecimento qualquer para promover um produto é um desafio que envolve uma operação muito específica: a de transformar um estímulo num evento. As regras para esse tipo de promoção dependem de pelo menos dois fatores muito bem definidos: que espécie de público você quer atingir e com quais elementos você pode criar mais impacto. O grande recurso do marketing *de impacto é fazer com que a novidade de um produto acabe se confundindo com a novidade de um evento. E nenhum consumidor resiste ao apelo de um evento bem planejado – nem de um produto bem promovido.*

9) O comércio de produtos ao ar livre é um teste muito rigoroso: cada centavo pode fazer muita diferença numa negociação, cada forma de apresentar sua mercadoria pode fazer muita diferença nos seus resultados e cada abordagem pode fazer muita diferença em cada cliente.

10) Criar e apresentar uma ação de merchandising *ao vivo exige planejamento, organização, visão comercial, criatividade, muita capacidade de síntese e, sobretudo, poder de persuasão. São 90 segundos que passam muito rápido para quem vê – mas para quem está sendo testado, podem durar uma eternidade.*

11) No setor de serviços – principalmente numa área que pode ser considerada supérflua, como o mercado de pet shops *–, o que todo consumidor espera é bem mais que simplesmente qualidade: ele espera dedicação. E essa dedicação é que garante que todo negócio se renove constantemente em busca de novidades e novos patamares de excelência. Quando se pretende maximizar a receita de qualquer empresa, o ótimo não é só inimigo do bom – é inimigo principalmente da rotina.*

12) Nenhuma inovação é possível em termos de negócios – mesmo a de uma simples pizza – se não for sustentada por um plano sólido de comercialização. A criação e a viabilidade comercial são duas operações que precisam estar sempre articuladas para que uma otimize as principais qualidades da outra. A dimensão comercial de uma área como a gastronomia é outra prova de que o mercado está sempre aberto para um produto que seja bem pensado, bem promovido e especialmente bem vendido.

13) A propaganda é uma arma poderosa – que se torna ainda mais poderosa e bem mais delicada quando passa a apresentar produtos que possam estar relacionados a áreas polêmicas ou muito discutidas, como a da blindagem de automóveis de luxo. Nesse caso, a melhor criação é sempre a que descobre novos motivos que fazem dos produtos que anuncia algo essencial e que deve ser desejado, cobiçado e, finalmente, adquirido. A área de segurança tem se sofisticado cada vez mais e sua publicidade deve refletir com muita eficácia essa sofisticação.

Uma contribuição muito importante para a avaliação dos candidatos era a análise oferecida por meus conselheiros. Isabel Arias, José Tolovi, Roberto Paschoali e Édison Henriques são profissionais ou professores de muita competência e que conheciam profundamente os problemas ligados a Recursos Humanos ou ao mercado de trabalho. Sempre fiz questão de escutá-los – embora nem sempre seguisse suas recomendações ou conselhos. Afinal, eu seria a pessoa responsável, no final da série, pela contratação de um dos candidatos – e não poderia deixar de seguir meus instintos e minhas posições para justificar uma ou outra demissão. E, principalmente, no episódio final, para justificar a grande contratação.

Embora eu tenha sido acusado por algum tempo de parecer arrogante, autoritário e, às vezes, até agressivo, ninguém jamais imaginou o quanto demitir qualquer um dos candidatos significava para mim. Era uma experiência dolorosa, difícil, extremamente tensa e que, em alguns casos, me levou a ficar realmente abalado após a demissão ou muito tenso antes de me decidir.

Outro dado que as pessoas em geral ignoram é que, na maior parte dos casos, eu mesmo não sei quem vou demitir até o último momento (na segunda temporada de *O Aprendiz,* aliás, eu não sabia nem quem iria contratar até quase o instante exato em que deveria anunciar minha decisão).

De uma forma ou de outra, os aprendizes são pessoas com quem passo um bom tempo convivendo em situações inusitadas, pelo ritmo, pelos locais e até por certos contratempos ou surpresas das gravações; são pessoas que, desde a seleção inicial, já me sinto predisposto a admirar por sua determinação, sua capacidade e pelo fato mais simples e direto de que elas resolveram abrir mão de parte de sua vida pessoal durante pelo menos dois meses e meio para se entregarem ao desafio imenso de enfrentar tarefas muito difíceis para serem avaliadas e eventualmente contratadas por mim.

Sei que os aprendizes me admiram – caso contrário não se inscreveriam nem se disporiam a passar tudo o que passaram, confinados num hotel de luxo em São Paulo, longe de seus familiares e amigos e submetidos a uma rotina ininterrupta de horários, decisões difíceis, determinação e disciplina.

Ao final de boas semanas de convívio quase diário, é inevitável que se forme um vínculo – se não de amizade, ao menos de respeito e um grau considerável de afeição. Ter de me desligar de alguns deles – ter de examinar com frieza seus desempenhos e me pronunciar sobre suas eliminações é muitas vezes tão difícil para o demitido quanto para mim mesmo. Não é, evidentemente, a imagem que acaba editada e percebida – mas muita gente soube vislumbrar, ao menos em certas demissões, o quanto eu mesmo estava comovido, abatido e emocionado.

Com o tempo, com as exigências das gravações e o ritmo no qual sou sempre obrigado a tomar decisões delicadas – e a avaliar tudo em rede nacional sem poder me permitir qualquer imprecisão ou deslize –, o programa acabou se transformando num grande teste não só para os candidatos, mas principalmente para mim mesmo. Eles se submetem à minha avaliação em provas que envolvem habilidades ligadas ao mundo dos negócios: eu me submeto, programa a programa, à avaliação de uma audiência que cresce a cada episódio e de toda a opinião pública, que julga cada frase, cada gesto e cada medida que tomo a partir de critérios que podem ser tanto dramáticos, técnicos, profissionais, estéticos e estilísticos quanto morais e eventualmente até políticos.

Em pelo menos dois momentos definitivos e críticos já na primeira temporada, aliás, tive de tomar decisões em que me sentia francamente liderando minha própria equipe em qualquer uma de minhas empresas – ou discutindo com algum cliente sobre a pertinência ou não de certas regras ou determinadas diretrizes.

O primeiro momento foi já na primeira sala de reunião de todas. A prova de nosso episódio de estreia estipulava que as equipes teriam um dia para vender flores nas ruas de São Paulo – quem conseguisse o maior volume de dinheiro, venceria o primeiro desafio. Muita gente ainda deve se lembrar que os homens, como era o pedido, foram até o Ceasa, compraram flores, buscaram inclusive a assessoria de um florista e saíram vendendo com a rapidez e a persuasão de que, sob as circunstâncias, foram capazes.

Já as mulheres, numa decisão muito arriscada, decidiram entender o pedido de forma relativamente mais flexível – e foram até a Rua 25 de Março, uma área de comércio popular muito conhecida em São Paulo, e compraram broches e todo tipo de adereço que encontrassem no formato de motivos florais.

Na sala de reunião, expliquei que uma das primeiras características importantes para todo executivo é entender perfeitamente, e com muita clareza, a natureza do que é pedido – e o maior problema da equipe das mulheres, a meu ver, havia sido que, certamente sem má-fé ou qualquer traço de desonestidade, todas tinham concordado, outras com mais, outras com menos boa vontade, em partir para a venda de adereços. Era um erro evidente: as flores que meu pedido especificava eram um produto, não um tema.

Toda tarefa é sempre descrita, pormenorizada e regulada por um dossiê, que as equipes recebem assim que termino de anunciar a prova. A líder das mulheres, Célia, uma pessoa decidida, articulada e que defendia seus pontos de vista com uma espécie gelada de objetividade, explicou que o dossiê não definia exatamente que tipo de flores deveriam ser vendidas. 'Não estava dito no dossiê que deveriam ser flores naturais', ela argumentou. 'Não está dito em lugar nenhum que você não pode sair nua às ruas e nem por isso você deixa de se vestir', eu respondi.

Era muito importante para mim estabelecer já no primeiro episódio o tom e os critérios pelos quais todos seriam avaliados – e eu senti que, nessa decisão (que poderia ser bem mais discutida, caso as mulheres tivessem vendido mais que os homens – o que não foi o caso), tive de me comportar como se estivesse quase numa reunião com algum cliente, fornecedor ou diretor de minha própria organização.

Outro momento marcante foi quando a Regina teve de nos deixar. A Regina era uma candidata com quem eu simpatizava muito – me agradava sua forma de se defender e explicar suas ações e mesmo o empenho com o qual se entregava a cada teste sempre me chamou muito a atenção.

Por uma grande fatalidade – ela descobriu que precisaria ser operada com urgência –, a Regina foi obrigada a abandonar o programa de forma repentina e inesperada. Como estava com uma agenda sobrecarregada e só iria para a sala de reunião após meus compromissos na agência, só soube do ocorrido um pouco mais tarde. A essa altura, a produção – de acordo com os procedimentos operacionais estabelecidos pela própria Freemantle – já tinha contatado uma outra candidata para substituir a Regina.

Eu me lembro bem de chegar ao estúdio e saber das notícias, da fatalidade e das medidas que tinham sido tomadas. A candidata que havia sido contatada era do Rio de Janeiro e trabalhava no Bradesco; entusiasmada com a possibilidade de juntar-se ao grupo dos aprendizes, ela pedira demissão de seu emprego e já estava fazendo as malas para vir para São Paulo e participar do programa.

Reagi com muita determinação a toda a situação. Em primeiro lugar, me parecia profundamente injusto não só com os outros participantes, mas com todos os envolvidos (inclusive o público que nos acompanhava), que alguém que havia tido acesso a todas as informações veiculadas na TV de repente começasse a fazer parte de uma das equipes. Não era uma situação nem justa nem equilibrada – e aceitar um precedente desses, a meu ver, configurava uma exceção muito perigosa até mesmo para os próprios critérios de justeza e equidade que representavam os próprios princípios do formato.

Além disso, me parecia precipitado tomar qualquer atitude sem ao menos discutir outras possibilidades e pensar um pouco mais sobre nossas opções. Telefonei imediatamente para Bob Cousins – já no estúdio, enquanto os técnicos davam os últimos ajustes na iluminação do cenário – e discuti durante um bom tempo, com ele, minha posição e meus pontos de vista.

Ao final de mais de uma hora de negociação e impasses, ficou decidido que meu argumento podia fazer mais sentido, ao menos naquela circunstância, que os *polices* da produtora: como a equipe da Regina tinha sido a equipe derrotada naquela prova específica, era possível que ela mesma fosse eliminada. Por isso, além de todos os problemas evidentes acarretados pela inclusão de um componente novo, a própria mecânica do processo poderia acabar irrecuperavelmente comprometida.

Ficou decidido que não haveria demissão naquela noite. Telefonei para um diretor do Bradesco que conhecia e tratei da readmissão de sua funcionária, explicando o caráter inédito, excepcional e delicado de toda a situação. Ele foi sensato e compreensivo o bastante para readmiti-la, e o caso todo se encerrou da forma que até hoje me pareceu a mais acertada.

A repercussão de *O Aprendiz* teve efeitos muito saudáveis para a minha imagem. Por intermédio do programa, deixei de ser conhecido como alguém que namorava mulheres famosas e por isso acabava tendo uma forma oblíqua de notoriedade. *O Aprendiz* revelou para o grande público a forma como pensava e me comportava como profissional, mostrando ao mesmo tempo como certos valores como a concentração no trabalho, a busca pela qualidade e a questão ética eram essenciais para mim na definição de um bom executivo.

As grandes diferenças entre a primeira e a segunda temporada do programa foram basicamente relacionadas à minha própria postura como apresentador. Quando começamos a gravação do primeiro programa da segunda temporada, eu não me sentia mais como se estivesse enfrentando um desafio inédito: não era mais o primeiro programa, mas na verdade o décimo sétimo, considerando-se os 16 da primeira fase.

Sentindo-me bem mais à vontade, a relação com os candidatos e minhas próprias reações na sala de reunião acabaram se tornando bem mais naturais – não digo simples ou fáceis – que da primeira vez.

Como na primeira, nós todos continuávamos plenamente conscientes de nossa responsabilidade; eu mantive as mesmas pessoas basicamente do grupo que criou e produziu a primeira temporada e tive o orgulho de ver meu filho Ricardo, de 22 anos, que havia começado como estagiário de produção na primeira série, ser promovido a coordenador de edição na segunda. Ele já era o responsável por editar um dos blocos mais difíceis e delicados, por tudo o que envolve, de *O Aprendiz:* as salas de reunião. Na segunda temporada, ele coordenou a edição geral e continuou editando as reuniões. Embora seja meu filho, nossa relação foi sempre muito profissional. Às vezes, receio, profissional demais: eu exigia dele tanto ou mais do que exigia dos outros envolvidos com a produção.

A segunda temporada tinha de ser melhor que a primeira. Era um compromisso geral da equipe e um compromisso meu comigo mesmo. O início deveria ser tão ou mais bombástico que o da primeira fase, e se nós não conseguíssemos não só ajustar o que nos parecia que podia ser melhorado, mas apresentar um programa que tivesse sido pensado como um passo além do que nós mesmos tínhamos feito da primeira vez, não teria muito sentido.

A abertura do primeiro bloco era inesquecível: em vez de sobrevoar em velocidade acelerada os arranha-céus de São Paulo, dessa vez a câmera percorria ruas vazias da cidade, em câmera lenta e em preto e branco. De repente, imagens da grande final com a vitória da Viviane, ao vivo, eram entremeadas em intervalos regulares com as imagens da cidade vazia – e tudo ia aos poucos se acelerando, até que, no fim da sequência, a câmera, já veloz, me descobria numa praça do centro antigo de São Paulo, a imagem se tornava colorida e eu afirmava: 'Muita gente acredita que a primeira vez é sempre mais difícil'. Depois de uma pausa curta, eu concluía: 'Não é.'

Poucas provas se mantiveram; a da negociação dos 10 itens, por ter tido muito sucesso da primeira vez, foi mantida, assim como a da Business School (que continuou excepcionalmente popular; era comum, por exemplo, eu estar em algum restaurante – muitas vezes até fora do Brasil – e alguém se dirigir a mim ou querendo saber detalhes da resolução de um problema, ou comentando alguma questão específica).

Uma prova que eu fiz questão que fosse incluída – e que criei junto com o diretor José Amâncio – foi a da administração pública. Nela, as duas equipes tinham de fazer um levantamento dos problemas mais urgentes de duas regiões muito problemáticas de São Paulo e apresentar sugestões viáveis para sua solução. A prova foi uma experiência maravilhosa para todos e acabou sendo avaliada até pelo Walter Feldman, secretário das subprefeituras da cidade, que aceitou ser um dos jurados que iriam decidir qual equipe sairia vencedora e que ficou muito admirado pelo profissionalismo dos participantes, a originalidade de suas propostas e o empenho com o qual se dedicaram à análise e à pesquisa concreta do problema.

Sempre considerei que o empenho social de todo empresário é fundamental; não podia terminar a segunda temporada de *O Aprendiz* sem que incluísse uma prova que pusesse em teste a capacidade de cada candidato para se sensibilizar com os problemas sociais e articular soluções estrategicamente viáveis. O episódio foi outro sucesso.

Alguns segmentos sofreram pequenas modificações que acabaram se revelando muito mais eficientes: os 'justismos', por exemplo, ficaram mais concisos e passaram a incluir o depoimento de alguma autoridade ou personalidade ligada à área profissional que estivesse sendo testada (tivemos depoimentos de especialistas em logística e urbanismo e nomes como Gloria Kalil, Ricardo Ohtake e o próprio governador de São Paulo Geraldo Alckmin).

A repercussão de *O Aprendiz* em termos de contribuição para a discussão ou a divulgação de certos temas de Recursos Humanos foi muito grande. Certos especialistas e consultores avaliavam que a análise de cada candidato feita na sala de reunião fazia com que o candidato soubesse perfeitamente por que estava sendo demitido, o que muitas vezes não acontecia na vida real. Acompanhar em detalhes como funcionavam as equipes e como as pessoas tendem a trabalhar em grupo era outro aspecto muito importante para certas áreas de RH.

Além disso, o programa representava uma chance única para se ter uma noção de tudo o que é exigido de um profissional que ganhe um salário consideravelmente alto para os padrões de nosso mercado de trabalho.

O Aprendiz fez com que o número de convites que costumava receber para dar palestras crescesse muito. Passei a ser comentado não mais como alguém que só fosse conhecido por certo tipo de celebridade, mas como um profissional que tinha algo a acrescentar, algo a dizer. Era minha maior ambição ao iniciar todo o projeto de *O Aprendiz* – uma ambição que, felizmente, tinha conseguido realizar.

Pesquisa do Instituto Synovate, um dos maiores do mundo, publicada em revistas como *Exame*, apontou meu nome como o terceiro empresário mais respeitado do país, só atrás de Silvio Santos e Antônio Ermírio de Moraes. *O Aprendiz* tinha conseguido o que eu mais queria: revelar ao grande público minha personalidade profissional.

O INTANGÍVEL

É muito comum hoje em dia, no mundo dos negócios, a menção e a discussão da ideia de intangível. Modernas teorias de administração, princípios de liderança e comentários sobre a maximização de formatos de negócios, cedo ou tarde, sempre acabam tendo de apresentar sua própria forma de conceber e tratar esse conceito tão essencial.

É uma ideia que muita gente ainda estranha um pouco. Não parece muito fácil imaginar de que forma algo não-material e abstrato como a noção de intangível possa ter tanta influência no mundo dos negócios.

Mas essa é justamente uma das ideias mais importantes para o mundo empresarial moderno, e quanto mais penso em suas implicações mais me convenço de sua importância definitiva – principalmente para a minha própria carreira.

Na maioria de minhas decisões, muitas vezes mesmo sem que isso fosse algo planejado ou até consciente, a noção de intangível foi o princípio que determinou com mais intensidade cada uma de minhas posturas profissionais.

O 'intangível' é uma ideia que vem se tornando cada vez mais popular – não digo compreendida – no mundo dos negócios desde o final da década de 80.

É uma ideia que eu mesmo tenho explorado com cada vez mais frequência em minhas próprias palestras para definir conceitos de liderança – e que vem sendo analisada em muitos livros recentes de teoria da administração nos Estados Unidos.

Dois estudiosos americanos da ideia de intangível, Jonathan Low e Pam Cohen Kalafut, chegaram a classificar em 12 as grandes qualidades imateriais realmente decisivas no mundo dos negócios: liderança, *performance* estratégica, comunicação e transparência, integridade de marca, grau de reputação, aliança e *network*, tecnologia e processos, capital humano, organização e racionalidade do local de trabalho, inovação, adaptabilidade e capital intelectual. São 12 características que, segundo eles, não aparecem na folha de balanço, mas que são poderosos índices quantificáveis da criação estrutural de valores corporativos.

A própria Euromoney Training, por exemplo, um dos mais respeitados centros de formação financeira e bancária do mundo, tem insistido em seus cursos de análise de crédito bancário de grandes companhias o quanto a análise não-financeira tornou-se muito mais confiável para a avaliação do valor de crédito de qualquer empresa. Para a Euromoney, para se compreender com mais exatidão o valor de qualquer organização deve-se levar em conta tanto sua análise financeira quanto principalmente uma análise de certas características que dificilmente poderiam ser contabilizadas no balanço da empresa. Não é por acaso que hoje já se fale inclusive numa 'economia de intangíveis'.

Eu sempre repeti que é possível descobrir, sob os contornos aparentes de toda história de negócios de sucesso, um conjunto articulado de certas qualidades invisíveis. São vantagens que a companhia responsável pelo sucesso de qualquer negócio utiliza e compreende – mas que seus concorrentes nunca conseguem reproduzir e copiar com a mesma familiaridade, eficácia ou conhecimento.

Uma definição possível, clássica, classificaria os intangíveis como fatores não-físicos que, seja na produção de bens ou principalmente na área de prestação de serviços, acabam gerando importantes benefícios estruturais para as companhias que os possuem - fundamentalmente na criação de valor corporativo.

Meu negócio é a comunicação. Sempre que liderei equipes, minha maior preocupação foi fazer o melhor que podia para que nosso fluxo de trabalho fosse o mais saudável, o mais eficiente e o de maior qualidade possível.

Em que deveria prestar mais atenção para descobrir quais elementos deveria estimular para que tivéssemos sucesso? Há duas ou três décadas, todo mundo prestava muita atenção em fatores como a margem de lucros, as despesas, a produção e o regime de trabalho. É claro que essas características se mantêm operantes e continuam, evidentemente, essenciais. Mas, no mundo moderno dos negócios, existe um fator a mais. Se repetisse a mesma pergunta, hoje, esses elementos não ocupariam mais o mesmo espaço. As respostas mudaram.

Hoje, nós precisamos prestar atenção em conhecimento. Em informação. E na inteligência organizacional que está destinada a criar valor.

Hoje, os verdadeiros patrimônios estratégicos são justamente o conjunto de intangíveis e o capital intelectual. Competência intelectual de pessoal, imagem de marca e cidadania corporativa são vitais ao sucesso de qualquer empresa.

Pouca gente se dá conta – principalmente no ramo da comunicação – de que nossos métodos de contabilizar e avaliar resultados foram na verdade desenvolvidos durante o Renascimento e de que a maioria de nossas práticas de administração se originou em modelos burocráticos e militares que dominaram nossos hábitos administrativos por muito tempo. A ideia de intangível – uma ideia central à própria forma como eu venho concebendo, explicando e pondo em prática a noção de liderança – acaba pondo todo esse arcabouço mais tradicional em xeque.

Atualmente, quem não for capaz de enxergar nos intangíveis bens e patrimônios fundamentais de qualquer empresa estará condenado a se tornar um empresário anacrônico e ultrapassado.

Na década de 60, o valor de uma empresa se baseava nos *earnings per share,* os ganhos por ação (isto é, a capacidade específica de gerar riqueza por ação e por acionista).

Só 10% de seu valor seria baseado numa consideração de valores intangíveis (na época, inclusive, o único grande valor intangível era representado pela marca – a famosa *brand awareness;* nem se sonhava ainda em se pensar em qualidade de gestão).

A partir de 2003, essa proporção alterou-se drasticamente, com 55% do valor da empresa ainda baseados em *earnings per share* e 45% em valores puramente intangíveis.

Rich Karlgaard, editor da *Forbes*, escreveu um editorial famoso em que afirmava que a inteligência, a cultura e os recursos intelectuais organizados de uma empresa são os patrimônios mais valiosos de qualquer companhia – embora admitisse que a sociedade ainda não possui uma forma específica de medir ou até compreender adequadamente esse tipo de riqueza.

Todo mundo sabe que sempre houve certa distância entre o conjunto das percepções do mercado e a realidade corporativa concreta. O grande problema é que, com a eclosão dos intangíveis, essa distância tem se tornado cada vez maior – e essa distância tem crescido com uma velocidade impressionante.

São seus valores intangíveis que fazem, por exemplo, com que uma companhia como a Southwest Airlines seja avaliada num valor bem superior ao de companhias aéreas veteranas, mais tradicionais e muito maiores.

O valor de empresas como a Microsoft ou a Intel nunca esteve em suas instalações – em tijolos e cimento – ou mesmo em seus inventários e seu capital financeiro, mas num tipo muito específico e intangível de patrimônio, formado puramente por capital intelectual.

É justamente esse capital intelectual que Charles Handy, da London School of Business, estimou que costuma valer geralmente de três a quatro vezes o valor tangível de qualquer companhia.

Todo mundo gosta de repetir que entende muito bem que certas companhias baseiam seu valor corporativo em informação e conhecimento. Reconhecer que a importância do intangível para os negócios não se limita a determinadas áreas parece um pouco mais delicado.

Com minha razoável experiência no negócio de comunicação, o que não posso deixar de me perguntar é muito simples: em pleno século XXI, qual companhia, hoje em dia, não está baseada em informação, conhecimento e valores intangíveis como qualidade de gestão?

Quando penso, inclusive, em minha própria carreira, percebo que, desde o seu início – e muitas vezes sem que soubesse – essa obsessão com o intangível sempre esteve presente.

O que me fez, por exemplo, colocar um espelho no corredor de minha primeira agência não era qualquer tipo de cuidado estético; era a preocupação de tornar nosso espaço físico maior, para que as pessoas pudessem simplesmente se sentir mais à vontade e, desse modo, trabalhar melhor. O espelho, no caso, era só o suporte físico de uma operação que visava criar um valor intangível: uma atmosfera mais saudável e, portanto, mais produtiva tanto em termos operacionais quanto de criação.

Essa foi uma preocupação que se manteve por todas as minhas decisões como presidente de agências e *holdings*. Os exemplos podem se multiplicar com facilidade.

Desde quando vi meu pai na capa da revista *Construção Moderna,* ainda muito jovem, ficou evidente que, ao mesmo tempo em que senti muito orgulho, descobri que o que mais me entusiasmava era justamente conseguir conquistar a mesma forma de prestígio que a dele – o que mais me animava e inspirava, em outras palavras, já era o próprio ideal de intangível.

Meu pai não era só um engenheiro competente, alguém cuja projeção se devia exclusivamente ao seu comprovado valor profissional; era também alguém respeitado pela substância e a significação social de seu trabalho.

Quando frequentava reuniões com clientes e bancos, ainda com meu pai, o que me movia era aprender não só como funcionava o negócio mas também como as pessoas se relacionavam e que reflexos a qualidade desse relacionamento podia ter ou não na qualidade do trabalho. É o valor intangível desse aprendizado ligado ao trabalho e aos relacionamentos que mais continua me estimulando até hoje, seja em ocasiões específicas ou nos problemas postos pelo dia-a-dia das operações do meu grupo.

O intangível, é evidente, não tem a ver só com grandes questões: ter pintado minha primeira agência nos mesmos tons do seu logotipo já indicava também uma preocupação com detalhes que acabou marcando toda a minha carreira. São os detalhes, afinal, que podem começar otimizando a imagem e acabam otimizando o valor de qualquer empresa. É a ação do intangível.

Meu cuidado na administração das pessoas e minha convicção de que um bom ambiente de trabalho é fundamental para que o rendimento profissional seja mais saudável – e a própria vida de cada um mais feliz – tem sido uma de minhas maiores preocupações. Esse cuidado no desenvolvimento de um valor abstrato – o que se poderia classificar, *grosso modo*, como a garantia do mais básico bem-estar no trabalho – também caracteriza outra recorrência da mesma preocupação.

Meu obsessivo, inabalável respeito à ética em todos esses anos continua mais uma expressão da constância desse mesmo ideal (respeito que, a rigor, começa já em minha incapacidade para contemporizar ou ser evasivo). Tudo isso faz parte do modo que acredito ser o melhor para administrar, desenvolver ou criar novas possibilidades para qualquer empresa.

Por isso, quando repenso e relembro minha carreira, parece evidente que, mesmo sem saber, todos os meus atos acabaram sempre dirigidos pela mesma ideia. Uma ideia que remonta às minhas raízes profissionais – e até às familiares.

É uma ideia simples que, fosse por vocação, método, intuição ou mesmo uma forma oblíqua de destino, acabou me guiando o tempo todo. Essa ideia é a ideia de construir.

E, se há algo que pude aprender com muita clareza em tudo o que vivi e por tudo o que trabalhei, é que o próprio ideal de intangível nunca me pareceu um dado acabado, definido, mas sempre teve o aspecto claro de um projeto – um projeto que só podia manter sua vitalidade graças a um exercício constante de revisão, atualização, releitura. Um exercício, em suma, de construção. Como tudo, o intangível também se constrói.

E mais: minha paixão pela verdadeira construção nunca se resumiu à prática admirável, mas um pouco protocolar, de erguer grandezas sobre o que já existe. Há momentos em que a verdadeira construção é a que é determinada por um espírito de maior ousadia, ligado a um impulso maior tanto pela inventividade quanto pelo radicalismo. Em certos momentos, a construção mais corajosa é a que reconstrói.

Durante toda a minha vida, os momentos nos quais tive de reconstruir tudo foram inúmeros – e foram preciosos.

Muitas vezes, a reconstrução podia realizar-se num contexto ingrato; em certos casos, num contexto quase impossível. Mas se construir é a maior prova de como se pode ser empenhado, reconstruir pode ser a maior prova de como se pode ser audacioso. Sempre gostei tanto da ideia de construir que, muitas vezes, ela como que se multiplicava na prática da reconstrução.

Após o segundo *O Aprendiz,* minha relação na Young com meu sócio Silvio Matos havia chegado a um ponto muito delicado – e muito pouco producente. Por vários motivos, nossa associação simplesmente não funcionava mais. Para o bem da agência, do grupo e em respeito aos clientes, precisava tomar alguma decisão rápida. E tomei.

Acertamos nossa separação em muito pouco tempo. Expliquei aos clientes as razões que me fizeram decidir pelo fim de nossa associação e passei rapidamente a reformular a agência.

Grandes contratações foram feitas tanto na área de atendimento e planejamento quanto na de criação, com profissionais premiadíssimos, excepcionalmente talentosos e sem o menor traço de vaidade pessoal.

Não foi uma reconstrução comparável a que tive de empreender quando comecei a formar o grupo Newcomm, mas foi uma reformulação radical, feita em muito pouco tempo, que pôs muito em jogo e acabou dando nova vida à agência. As pessoas começaram a trabalhar muito – e com muito entusiasmo.

Pouco tempo depois dessa reformulação, chamei todas as pessoas do grupo para um café da manhã. Queria contar a todos, na forma de uma palestra, meu ponto de vista sobre as transformações da agência e sobre os valores que acreditava ser essencial que adotássemos. Foi uma palestra, basicamente, sobre – mais uma vez – o intangível.

O que eu mais queria passar para todas as pessoas que trabalham comigo é minha convicção de que uma grande empresa se constrói fundamentalmente com valores abstratos. E queria que todos descobrissem que o próprio processo de transformação que estávamos vivendo era justamente uma experiência muito rica para se perceber como a construção de uma nova empresa passa pela construção do intangível.

Por tudo isso, mesmo nos momentos em que minha vida pessoal, minha carreira, minhas decisões profissionais e até minhas atitudes eram divulgadas, comentadas e criticadas, todo esse burburinho poderia eventualmente me incomodar – mas nunca chegava mesmo a me abalar na essência. Afinal, todas as pessoas que adoravam ficar inventando ou distorcendo tudo o que acontecia comigo podiam continuar falando até quando quisessem. É quase um padrão.

Um padrão que define, infelizmente, pessoas que só parecem funcionar no conforto de certa inércia – de certo tipo de passividade que pode até gerar algum movimento mas nunca gera nenhum trabalho real, nenhuma produção legítima.

É o mesmo mecanismo que faz com que as pessoas que se deixam abalar por um ou outro problema às vezes se entreguem à derrota e desistam de tudo.

Ou as que, ao invés de se concentrarem no trabalho, não resistem a alguma negociata, alguma proposta muito pouco decente ou ao boato, para tentarem qualquer notoriedade.

Meu método para trabalhar bem – e viver melhor ainda – é diferente.

Eu sempre preferi seguir construindo.

ALGUMAS RECOMENDAÇÕES E REFERÊNCIAS

CINCO LÍDERES FUNDAMENTAIS PARA ENTENDER O CONCEITO DE LIDERANÇA

Jack Welch

Estudar as lições de Jack Welch talvez seja a forma mais segura de compreender com maior precisão o conceito de intangível. Sempre insistindo muito na necessidade de que os líderes de sua empresa fossem responsáveis tanto pela produção de números quanto pela vivência de valores, Jack Welch praticamente inventou um método de tornar o gerenciamento de pessoas, de metas, de aspirações e de ideais um instrumento de impressionante eficiência nas formas de administração. Tem sido um grande modelo para muitos empresários – inclusive eu mesmo. Sua insistência em operar sobre uma base de absoluta franqueza foi discutida até por seus próprios colegas, que duvidavam que sua sinceridade fosse saudável para a empresa. Resultado? O valor da G&E atingiu 400 bilhões de dólares sob sua administração. Hoje, quando o maior executivo da Virgin, Richard Branson, declara que, para ele, fazer negócio não é algo que envolva agradar acionistas, mas 'ser fiel a si mesmo, aos seus ideais e saber se concentrar no que é essencial', está se mostrando mais um seguidor dos princípios de Jack Welch.

Rudolph Giuliani

Enfrentando toda espécie de dificuldades e desafiando todo tipo de problemas – tanto sociais quanto, eventualmente, pessoais –, Rudolph Giuliani assumiu a prefeitura de Nova York quando a cidade estava quase à beira de um colapso, causado por problemas gravíssimos como o desemprego, a criminalidade, os impostos e até o lixo, Giuliani foi tão agressivo em seu combate ao crime que chegou a desarticular elementos importantes dominados pela máfia. Foi em sua administração que o Times Square foi radicalmente revitalizado, passando de uma área infestada de pornografia e tráfico para um centro extremamente valorizado, repleto de teatros com programação familiares, estúdios de empresas como a MTV e um pequeno complexo ligado à Disney. Sua atuação durante a reconstrução da cidade após os ataques de 11 de setembro continua um exemplo recente de liderança que talvez seja difícil de ser superado.

Winston Churchill

Quando começou a prevenir a Inglaterra sobre o perigo nazista, em discursos no Parlamento que são obras-primas de vigor e retórica, ninguém o levou muito a sério: sistematicamente ridicularizado, até seu estilo foi caricaturizado como o de um visionário demente. Quando Hitler assumiu o poder e a Segunda Guerra eclodiu, foi Churchill, entretanto, que teve a capacidade de liderar a ofensiva – e que se tornou o inimigo mais detestado e perigoso do nacional socialismo. Como líder, Churchill sempre foi uma figura saborosa e exemplar, cuja trajetória política deveria servir bem mais de inspiração que de objeto de estudo e cujo estilo pessoal – sarcástico, intransigente e de uma coragem que é um exemplo moderno de heroísmo – deveria continuar ensinando muita gente tanto sobre política quanto sobre moral.

Margaret Thatcher

Outra prova clássica de um princípio de liderança às vezes incômodo mas inevitável – o de que um líder muitas vezes precisa tomar medidas altamente impopulares. Após seu célebre ataque à antiga União Soviética ter-lhe valido o apelido de Dama de Ferro, Margaret Thatcher passou a colecionar críticas e campanhas difamatórias com a mesma velocidade com que transformava o panorama político e social do Reino Unido. O thatcherismo continua altamente polarizador e polêmico, mas suas realizações continuam também lembradas e referidas como um exemplo audacioso de integridade e administração pública.

Steve Jobs

A maior, mais enfática e mais radical comprovação de como os líderes nascem líderes, Steve Jobs sempre foi tão obcecado por seu ideal de inovação que diz ter usado até o que aprendeu de caligrafia para desenhar com mais elegância a proporção dos espaçamentos nas múltiplas fontes do Macintosh. Com um estilo pessoal que parecia atualizar para a atmosfera empresarial da década de 80 os ideais da contracultura da década de 60, Steve Jobs começou trabalhando numa garagem – onde criou a marca baseada em sua fruta preferida e uma revolução tecnológica baseada em sua vocação para transformações. Depois de pedir demissão da companhia que havia ajudado a fundar, motivado por uma crise política de poder que o tinha isolado, Steve Jobs acabou voltando, anos depois, quase que para recolocar a companhia nos parâmetros de inovação que ele mesmo havia estabelecido desde sua fundação. Foi no período em que todos duvidavam que computadores de cores baseadas em frutas como morango, uva e tangerina pudessem vender ou até serem levados a sério que Jobs criou seus iMacs. E hoje sua revolução continua, com a proliferação impressionante de iPods e a criação de novas formas de acessar música e imagens. Num discurso recente para os formandos da Universidade de Stanford, Steve Jobs aconselhou a todos que, antes de tudo, ao começarem suas carreiras, descobrissem o que cada um mais amava. É a receita que eu sempre considerei a mais perfeita para quem quer liderar ou trabalhar bem.

SEIS PROFISSIONAIS DE COMUNICAÇÃO EXEMPLARES NO BRASIL

Marcio Moreira

O primeiro profissional de criação no Brasil a assumir o mais alto posto da hierarquia internacional numa grande agência como a McCann Erickson.

Silvio Santos

Um verdadeiro patrimônio da nossa comunicação, Silvio Santos é o exemplo perfeito de um *self made man* – um homem que sabe como ninguém atingir seu público e que continua, por isso, um marco na história da televisão.

Alex Periscinoto

O grande exemplo de um profissional de criação com uma carreira marcante e uma postura ética invejável.

Boni

O criador da TV moderna no Brasil, Boni provou que a exigência de qualidade é um ingrediente essencial para o sucesso – ainda mais quando exercida por alguém com uma capacidade como a sua para perceber com exatidão tudo o que poderia ou não funcionar em termos de comunicação.

Washington Olivetto e Nizan Guanaes

Por terem feito um grande trabalho criativo, em momentos diferentes, colocando a publicidade brasileira num patamar de qualidade compatível com as melhores do mundo, tornando-se referência para todos os criativos de nosso mercado.

CINCO PROFISSIONAIS DE COMUNICAÇÃO EXEMPLARES NO MUNDO

Bill Bernbach

Considerado o publicitário que liderou a revolução criativa na propaganda da década de 60 com seu estilo baseado em ironia, sugestão e inteligência, Bill Bernbach foi o grande responsável por instituir uma relação nova entre redatores e diretores de arte. Foi tido como uma das pessoas mais influentes nos últimos 100 anos na publicidade. Duas de suas frases ficaram muito famosas: 'As pesquisas podem ser uma armadilha para tornar o passado uma prisão' e 'Nenhum investimento é mais arriscado do que o que é feito em publicidade segura'.

David Ogilvy

David Ogilvy começou seu negócio só com dois funcionários e sem nenhum cliente – e transformou sua empresa num conglomerado de 359 escritórios em 100 países.

Quando iniciou sua vida profissional, chegou a vender fogões de porta em porta na Inglaterra. O resultado? Escreveu um guia para vendedores de fogões que seria classificado mais tarde pela revista *Fortune* como 'possivelmente o melhor manual de vendas já escrito'. Trabalhou como cozinheiro em Paris, como secretário da Embaixada Britânica em Washington e como fazendeiro num condado *amish* da Pensilvânia. Começou a escrever aos 38 anos. Aos 41 era o redator mais famoso do mundo. Um dos casos mais exemplares em que o talento para a criação se equilibrava com o talento de administrar. Talvez a fórmula que mais defina seu estilo – e sua ideia mais emblemática – continue sendo 'se você contrata pessoas maiores que você, todos acabam tornando-se gigantes'. David Ogilvy entendia de gigantes.

Sir Martin Sorrell

Um dos homens de publicidade mais poderosos do mundo, Martin Sorrell é o CEO da WPP, que se tornou em apenas 16 anos o maior grupo de publicidade da história. Sempre acreditou que, para contratar novas pessoas, o maior critério de avaliação deveria ser a capacidade de cada um envolver-se com paixão no seu negócio. É um empresário que tem se celebrizado por pensar livre de qualquer parâmetro tradicional, compreendendo a nova realidade da propaganda e do *marketing* em termos de novas relações, novas grandezas e novas possibilidades.

Joe Pytka

O diretor de comerciais que revolucionou, com seu estilo e humor, o modo como comerciais eram filmados, dirigidos, editados – e vistos. A formação de Joe Pytka é de documentarista, e ele começou em publicidade justamente para financiar seus documentários. O sentido de vitalidade espontânea de seus documentários conseguiu se manter como uma das maiores qualidades de sua carreira na propaganda. É responsável por campanhas clássicas para clientes como Pepsi, McDonald's, HBO e Disney.

Raymond Rubicam

Um dos fundadores da Young & Rubicam (juntamente com John Orr Young), foi o responsável pelo primeiro grande salto da companhia quando decidiu rebatizar Quick Tipper, um produto para sapatos, de Presto. A decisão foi tomada após consulta com fornecedores e profissionais ligados ao ramo e foi um sucesso. Seis meses depois, a Y&R ganhava sua primeira grande conta – a General Foods. Em 1926, os dois resolveram se mudar da Filadélfia para Nova York e instalaram-se, é claro, na Avenida Madison. Em 1927, Young desligou-se da agência. Raymond Rubicam foi o primeiro publicitário a enfatizar a necessidade de que toda ideia fosse firmemente baseada em fatos – e Rubicam acreditava tanto nisso que contratou um professor universitário, George Gallup, para comandar seu departamento de pesquisa – e tornou-se pioneiro em métodos para avaliar e quantificar a força de certos hábitos de consumo muito cristalizados. Poucos anos mais tarde, Rubicam contrataria David Ogilvy para dirigir o instituto de pesquisa em Princeton. A lição de Raymond Rubicam continua valiosa: toda criação só pode ser eficiente se estiver baseada num levantamento abrangente e meticuloso das expectativas do público com quem o cliente quer falar. O que Rubicam enfatizou, no fundo, foi a ideia de que, para criar, é essencial um conhecimento básico das necessidades do cliente. O título de um de seus primeiros anúncios para a Squibb afirmava que o ingrediente que não tem preço de todo produto é a honra e a integridade de seu fabricante. Sem querer, sem saber, Raymond Rubicam havia criado um título que é uma formulação perfeita e pioneira, da ideia de intangível. Além disso, foi ele também que cunhou a expressão proverbial que sempre me inspirou – *'Resist the usual'* ('Resista ao que é costumeiro).

CINCO LIVROS QUE TODO EXECUTIVO DEVERIA CONHECER

Paixão por Vencer – Jack Welch

'Antes de se tornar um líder, o sucesso diz respeito exclusivamente ao seu crescimento pessoal. Quando você vira um, o sucesso passa a depender do crescimento dos outros', escreveu Jack Welch em *Paixão por Vencer.* Poucos livros tratam com tanta autoridade, precisão e competência da questão da liderança empresarial e de como saber administrar o crescimento dos outros é essencial para o próprio crescimento do líder. Jack Welch analisa, expõe, explica e constrói uma ideia de liderança que continua moderna, consistente, insuperável. E infalível.

O Ponto de Desequilíbrio - Malcolm Gladwell

A tese que introduziu o conceito de 'fenômenos emergentes' em *marketing* e provou, com uma clareza às vezes reveladora, às vezes desconcertante, que o *marketing* não só surpreende – como também pode frequentemente ser surpreendido. O profissional de comunicação, na visão de Malcolm Gladwell, deve estar atento a tudo ao seu redor não só para saber evitar problemas previsíveis mas principalmente para fazer com que certo conjunto de variáveis incontroláveis possa ser usado a seu favor.

Freakonomics – Steven D. Levitt

Steven Levitt é importante porque seu novo olhar sobre a economia acabou tendo efeitos bem mais abrangentes e saudáveis do que talvez ele próprio prediria – tornando claro que *insights* inovadores sobre o que é cotidiano, banal e usual podem revelar um mundo bem mais surpreendente e estimulante do que jamais poderíamos sonhar.

Felicidade – Eduardo Giannetti da Fonseca

Um livro que comprova, com simplicidade e objetividade, um assunto bem mais complexo do que parece, mas cuja moral se resume a um princípio básico e infalível: o de que é impossível ter sucesso sem ser feliz.

Selling the Invisible – A Field Guide to Modern Marketing
Harry Beckwith

Um ensaio sobre um de meus princípios orientadores, no trabalho e na vida – o princípio do intangível. Ao contrário de tantas obras que tratam do mesmo tema de forma acadêmica ou burocrática, este é um ensaio cujo sabor já começa nas sugestões de seu título – e que continua saboroso em cada parágrafo.

CINCO FILMES QUE TODO PROFISSIONAL DE COMUNICAÇÃO DEVERIA CONHECER

Metropolis (1927)

Um filme feito há quase 80 anos, mas que continua uma referência muito importante para diretores de arte e criadores em geral.

Cidadão Kane (*Citizen Kane*, 1941)

É verdade que *Cidadão Kane* é o filme que todo mundo sempre cita naquelas listas de "melhores filmes já feitos", mas isso não deveria desanimar ninguém de conferir mais uma vez a inteligência de sua edição, a excelência de seus diálogos e até sua grande inovação técnica – o foco em profundidade, que fazia com que tudo ficasse sempre no mais perfeito foco. Para um filme preocupado com a relação entre seu personagem principal e o mundo – ou, em última instância, entre os homens e as coisas – era uma inovação mais que justificada: uma descoberta técnica que complementava, justamente, as implicações de seu tema. E pelo fato de Kane ser um personagem tão emblemático e estar ligado ao mesmo tempo – e de modo tão visceral – ao mundo da comunicação e dos negócios, o filme pode ser visto como uma alegoria excepcional sobre a solidão dos líderes e as tentações do poder.

O Dia da Marmota (*Groundhog Day*, 1993)

Uma fábula perfeita que mostra como o dia-a-dia pode ser alterado e modificado de acordo com nossa visão, nossa disposição e nosso olhar.

Coração Valente (*Braveheart*, 1995)

'Que tipo de homem desafiaria um rei?', perguntava sua *ad-line*. *Coração Valente* mostra como a liberdade pode ser, muito mais que um ideal abstrato, uma força inspiradora para a ação. E a determinação mostrada pelos escoceses do século XIII retratados por Mel Gibson em sua luta contra a dominação inglesa, guardadas as proporções e a distância, pode ser aproximada, em nossos termos, da mesma determinação que pequenos empresários muitas vezes têm de revelar se quiserem sobreviver num mundo dominado por grandes corporações.

Matrix (*The Matrix*, 1999)

Outra referência indispensável pelas inovações de sua linguagem, que levaram o cinema – e a produção publicitária – a vislumbrarem novas formas de utilizar a computação gráfica e todo o repertório digital.

QUATRO CIDADES DO MUNDO QUE TODO PROFISSIONAL DE COMUNICAÇÃO DEVERIA CONHECER

Nova York

Por sua história, sua vitalidade, suas galerias, seus museus e seus teatros.

Barcelona

Por sua arquitetura, seu espaço urbano, o ritmo de sua vida social e a personalidade de seus habitantes.

Paris

Por sua cultura, seu estilo, as soluções de sua distribuição de espaços, sua tradição e sua culinária.

Tóquio

Por sua solidez, sua energia, pela maravilhosa mistura de elementos da cultura oriental e ocidental e por suas tradições.

CINCO GRANDES ESPETÁCULOS INTERNACIONAIS QUE SEMPRE VÃO SERVIR DE REFERÊNCIA

O Rei Leão

A inventividade de suas soluções continua insuperável.

O Fantasma da Ópera

Grandiosidade de produção muito bem explorada a serviço de um tema cuja essência é igualmente grandiosa.

Spamelot

Uma mistura deliciosa de comédia e musical baseada na referência histórica de um estilo de humor atualíssimo: o do Monty Python.

O (Cirque du Soleil)

Por atingiram o ápice de sua mescla de performance, teatro e acrobacia – desta vez sobre a água.

Shows nos intervalos do Super Bowl

Um formato antológico, tanto pela agilidade de sua produção quanto pela qualidade de seu espetáculo. A rapidez de sua montagem já seria impressionante, se o espetáculo que se desenrola nos poucos minutos que duram o intervalo não impresssionasse ainda mais pela sua grandiosidade.

CINCO FOTÓGRAFOS INTERNACIONAIS QUE SÃO REFERÊNCIA

Henri Cartier-Bresson

Sua forma de capturar o instantâneo ainda é um modelo para fotos e estilos de muitas campanhas.

Richard Avedon

A riqueza de seus *portraits* parece ter revelado um modo novo, e profundamente influente, de contemplar e revelar o rosto humano.

David LaChapelle

O fotógrafo cuja paixão por cores tornou seu trabalho muito requisitado pelas gravadoras e que tem imprimido um estilo único na produção de videoclipes.

Irving Penn

A precisão de suas fotos ainda impressiona muito; sua série retratando flores em close – uma reação à fotografia grandiloquente de montanhas e paisagens da época – mostra uma abundância de cores, formas e ritmos de linhas que foram por muito tempo uma inspiração.

Annie Leibovitz

Seus retratos para a revista *Vanity Fair* a tornaram justamente reconhecida como uma grande estilista do jornalismo fotográfico; suas fotos sempre parecem grandes comentários de caráter tanto estético quanto social. Nesse sentido, talvez a mais exemplar continue sendo a de John Lennon deitado nu ao lado de Yoko Ono, abraçando-a como se estivesse agarrado a alguma tábua de salvação (imagem fotografada, aliás, horas antes de seu assassinato).

TRÊS *DESIGNERS* INTERNACIONAIS QUE TODO PROFISSIONAL DE COMUNICAÇÃO DEVERIA CONHECER

Philip Starck

Um dos criadores do minimalismo; discutido, contestado, mas essencial.

Marcel Breuer

Um *designer* cuja obra faz mais parte da vida de muita gente que pode parecer: é só pensar na cadeira Wassily. Quem quiser conferir algum projeto seu ligado à arquitetura, é só visitar o Museu Whitney, quando estiver em Nova York.

Andrée Putnam

A *designer* que se celebrizou, entre tantos trabalhos, por redesenhar hotéis num estilo tão agressivamente moderno que tornava discretamente retrógrados até as celebridades que os frequentavam. Que já eram moderníssimas.

TRÊS ILUSTRADORES INTERNACIONAIS QUE SÃO REFERÊNCIA

David Hockney

Embora seja reconhecido como pintor, cenógrafo e até fotógrafo, é especialmente como ilustrador que seu traço e suas cores logo passaram a se tornar referência para várias escolas de direção de arte em publicidade.

Niky Daly

Conhecido por suas ilustrações de histórias infantis, Niky Daly tem recebido muitos elogios e influenciado, com seu traço leve, o estilo de ilustrar campanhas para produtos mais sofisticados.

William Steig

Suas ilustrações parecem sempre casuais, mas são claramente fruto de um trabalho maduro e estudado. Seu humor às vezes melancólico contribuiu muito para definir o tom dos *cartoons* de várias publicações americanas.

QUATRO REVISTAS NACIONAIS QUE SÃO REFERÊNCIA

Veja

Continua realmente indispensável para se ter um panorama organizado e objetivo das notícias da semana. Em termos de informação geral, é uma revista capaz de combinar as lições editoriais de certos modelos americanos de jornalismo com uma tradição criada com personalidade e competência.

IstoÉ Dinheiro

Uma fórmula insuperável, que alia a facilidade de leitura com grande quantidade de informação.

Exame

Depois de uma oportuna reformulação, voltou a ser um modelo de informação econômica e de negócios muito bem editada, muitas vezes baseada em reportagens em profundidade e análises confiáveis.

Época

Assumidamente mais compacta que *Veja* em sua carga de informação – e inspirada em modelos estrategicamente diferentes –, *Época* consegue ser também, com frequência, mais sóbria em sua abordagem de temas políticos polêmicos. Funciona como um painel nervoso e ágil, que é uma boa base para informação geral e que, devidamente retrabalhado, pode funcionar como material de referência para análises circunstanciais.

CINCO REVISTAS INTERNACIONAIS QUE SÃO REFERÊNCIA

Wired

Wired é a revista que fez pela mídia impressa o que *Matrix* fez pelo cinema. Sua diagramação, suas editorias, suas pautas e sua apresentação foram o passo mais radical – e mais coerente – em direção a uma forma de pensar o novo mundo da tecnologia na qual a informação no papel ficasse mais próxima possível da informação digital.

Robb Report

Muitas revistas internacionais adoram anunciar coberturas, artigos, editoriais e suas próprias referências no mercado de luxo, da vida com estilo ou de um mundo cujo refinamento beira a rarefação. Só a *Robb Report* conseguiu estabelecer um padrão que apresenta o mesmo estilo de vida e os mesmos produtos com uma qualidade de texto e uma excelência editorial que rivalizam com os temas tratados.

Real Simple

Uma revista com uma premissa elementar: como simplificar ao máximo a vida de seus leitores. Mas feita com uma elegância e uma objetividade que, além de muito saudáveis para quem quer viver bem, são também muito saudáveis para quem quer se atualizar bem.

The Economist

Quem quiser se atualizar em política internacional e negócios e conhecer o ponto de vista de jornalistas que sabem ser sérios sem nunca serem chatos (num estilo, por sua vez, que já é por si só uma aula de como não perder tempo com detalhes irrelevantes), não pode deixar de, pelo menos uma vez por mês, dar uma conferida na *Economist.*

The New Yorker

Não adianta tentar escapar: a *New Yorker* continua a grande referência quando se trata de jornalismo, literatura, entretenimento e crítica de cultura que sejam pensados em termos urbanos, cosmopolitas e sofisticados. A concisão de seus textos ainda é um modelo para qualquer tipo de redação: do conto e do ensaio à propaganda.

CINCO JORNALISTAS BRASILEIROS EXEMPLARES

Boris Casoy

Soube transpor para a TV o mesmo estilo de objetividade e crítica que adotou quando editava a *Folha de S.Paulo.*

Silveira Sampaio

O apresentador do primeiro *talk show* da TV brasileira, Silveira Sampaio soube combinar toda a sua vocação para o rádio e o teatro (era dramaturgo e radialista) com seu magnífico talento para o jornalismo. O programa começava com uma comentário irônico – praticamente um editorial já muito moderno – sobre fatos políticos e, eventualmente, econômicos. Durante esse comentário, Silveira Sampaio era interrompido por um telefonema supostamente dado pela personalidade comentada ou por algum amigo que lhe trazia mais informações sobre o tema tratado. Após essa introdução, o programa continuava com uma entrevista com personalidades de todos os setores: esportistas, religiosos, cantores, políticos, atores. Seu talento para abrir com frases de efeito entrevistas antológicas ficou famoso. Um de seus antigos colaboradores foi Jô Soares.

Roberto Marinho

O exemplo mais impressionante de um jornalista que foi capaz de aliar, durante sua carreira, seu talento de empreendedor e seu talento de visionário como pouquíssimas pessoas. Dessa combinação, como se sabe, surgiu um império da comunicação.

Ruy Mesquita

O grande defensor da livre empresa e da liberdade de imprensa nos momentos mais difíceis da nossa história recente – como durante os anos de chumbo que se seguiram à dramática assinatura do AI-5 em 68.

Octavio Frias

Seu maior mérito foi ter viabilizado a *Folha de S.Paulo* como empresa – e ter construído toda a infra-estrutura do negócio e do jornal como condição prévia de sua futura excelência. Seu Frias – como é carinhosamente chamado nos meios de comunicação – sempre soube que antes de tudo era preciso viabilizar o jornal como negócio; só após sua constituição econômica, técnica e financeira é que qualquer jornal poderia avançar no conteúdo. E foi exatamente o que aconteceu.

CINCO JORNALISTAS ESTRANGEIROS EXEMPLARES

Katharine Graham

Quando seu pai multimilionário deixou-lhe de herança o *Washington Post*, seu marido passou a dirigir o jornal. Ele era maníaco-depressivo e suicidou-se em 1963. Foi quando Katharine Graham assumiu a direção do *Washington Post*; muitos acreditam que ela dirigia nos bastidores, inclusive, setores estratégicos e influentes da vida social de Washington, com seu estilo refinado e sarcástico (seu grande companheiro para ir ao cinema sempre foi Henry Kissinger). Quando escreveu sua autobiografia, que viria a ganhar o prêmio Pullitzer, tratou com absoluta franqueza da doença e das crises de seu marido. Foi uma grande jornalista e uma *publisher* de muita integridade e coragem – e embora sua influência seja às vezes subestimada, foi uma das mais poderosas mulheres do século XX.

Bob Woodward e Carl Bernstein

A dupla que redefiniu o que se entendia por jornalismo investigativo – e provou que a melhor democracia é a que não se intimida na sua garantia de liberdade mesmo quando o que está em jogo é a própria estrutura de poder.

Brit Hume

Brit Hume já era um jornalista de grande e merecida reputação durante seu período na ABC News, mas conseguiu dar novo impulso ao seu trabalho e à sua reputação como apresentador do *Special Report* no Fox News Channel, provavelmente o melhor programa de jornalismo e análise política da TV americana. Seu talento como entrevistador é incomparável – e é sua integridade e seu estilo ao mesmo tempo cínico e experiente que continuam avalizando todo o jornalismo da Fox.

Larry King

Seu estilo de entrevistas – envolvendo pessoas e links que se espalham por todo o país, numa grande discussão sobre temas muitas vezes polêmicos – é tão ágil e eficiente para televisão que até assuntos aparentemente ingratos se tornam extremamente saborosos.

5 CANAIS IMPORTANTES DE TV A CABO

GNT

Por ter conseguido formar uma grade de programação que, a partir de um eixo puramente documental, evoluiu para a exibição de programas de entrevistas e de variedades com coerência, qualidade e personalidade.

Discovery Channel

Um canal que vem se especializando, há mais de 20 anos em compilar e exibir a história e a estrutura do mundo com absoluta qualidade e conteúdo editorial. Além disso, sua inclusão em qualquer lista de importância já se justificaria plenamente por um de seus mais recentes projetos: o de construir um imenso Telescópio Discovery no Observatório Lowell que, quando concluído em 2009, será o quinto maior telescópio dos Estados Unidos continental.

HBO

A primeira rede a transmitir através de torres terrestres de microondas, a primeira a transmitir via satélite, a primeira a codificar seu sinal contra exibição não autorizada e a primeira a transmitir uma versão de sua programação em alta definição, a HBO foi pioneira também em criar uma grade na qual a representação da violência e da sexualidade, tratada de forma adulta, acabava se tornando um dos grandes diferenciais de suas séries. E um dos grandes motivos de seu sucesso.

SporTV

Qualidade de jornalismo, comentário e edição, combinada a uma grande abrangência de cobertura.

People + Arts

Linha de entretenimento baseada largamente numa combinação de reality shows que também funcionam em termos estratégicos, como instrumento para aproximar o canal de seu público local.

TRÊS FORMATOS INOVADORES DE PROGRAMA

Reality shows

Videoclipes

Novelas brasileiras

CINCO SITES QUE TODO EXECUTIVO DEVERIA CONSULTAR

Marketing Power (www.marketingpower.com)

O site da Associação Americana de *Marketing* (a *American Marketing Association*) é o mais completo na área de *marketing* e gestão. Pode-se encontrar estudos de casos, artigos, *newsletters* especializadas, *blogs*, estratégia, pesquisa, aspectos legais e até um dicionário de termos de *marketing*.

Wired (www.wired.com)

Vibrante como a revista, o site da *Wired* é um grande exemplo de atualização num meio e numa linguagem absolutamente contemporâneos. A agilidade da diagramação da revista ganha vida, movimento e velocidade nas opções do site.

Harvard Business School (hbswk.hbs.edu)

O grande site de administração aplicada da Harvard Business School. No site, podem-se encontrar também matérias que discutem desde conceitos de operacionalidade até questões como as que determinam se uma organização possui um perfil mais réptil ou mamífero.

BrandChannel (www.brandchannel.com)

A discussão dos aspectos mais importantes de *branding* e *advertainment*, apresentada com objetividade e elegância, é o grande diferencial do site. São analisados perfis de grandes marcas, sua percepção, *cases* recentes, livros sobre o tema, tendências e exemplos importantes de *advertainment*.

Fast Company (www.fastcompany.com)

Fast Company é um site especializado em empreendedorismo que, como a revista de mesmo nome que o originou, continua inteiramente baseado no princípio de que os negócios são uma força profundamente positiva – uma força que pode transformar o mundo.

TRÊS GRANDES AÇÕES PROMOCIONAIS NA INTERNET

Subservient Chicken

O modo formidavelmente original como a agência Crispin Porter + Bogusky resolveu o desafio de colocar em evidência o sanduíche de frango do Burger King. O Subservient Chicken foi posto no ar na internet em abril de 2005 e partia de uma ideia simples: uma tela com um ator vestido de galinha num ambiente doméstico, capaz de reagir de acordo com virtualmente tudo o que fosse teclado pelo usuário num comando (são quase 400 opções que vão desde 'veja TV' ou 'dance' até 'finja-se de morto' ou 'imite Michael Jackson'). O apoio de mídia convencional à peça foi o mínimo necessário; a Wunderman de Chicago chegou inclusive a criar produtos relacionados ao conceito que foram postos à venda com considerável sucesso – mas a grande explosão em termos de repercussão veio mesmo com a mídia digital. O site teve quase 400 milhões de visitas e 14 milhões de frequentadores regulares. O resultado? As vendas do sanduíche TenderCrisp do Burger King chegaram a crescer uma média de 9% por semana. Sem mostrar o sanduíche, sem repetir seu *slogan,* sem *appetite appeal,* sem nada que lembrasse vagamente qualquer técnica direta de persuasão, o Subservient Chicken é mais uma prova radical da eficiência de se anunciar qualquer produto com um talento profundamente inovador.

BMW Films

A ação criada pela BMW envolveu grandes diretores de Hollywood na realização de vários curtas-metragens nos quais um modelo do automóvel estaria presente. A distribuição se deu em duas frentes: pela internet e pelas emissoras interessadas em veiculá-los. Foram assistidos por milhões de espectadores nas duas mídias.

Loctite

Super Bonder é um produto naturalmente fértil nas associações criativas que pode sugerir; talvez nenhuma tenha sido estrategicamente tão feliz quanto a iniciativa da DM9DDB de pendurar um monitor que recebia mensagens e que podia ser visualizado com a contagem dos dias e horas que se mantinha lá. Até que recebesse o esbarrão de um dos funcionários, o monitor se manteve fixo durante exatos 123 dias e 31 minutos, tendo seu site sido visitado por mais de meio milhão de pessoas em 80 países. O site anunciava – 'um *reality show* sustentado só por Super Bonder'e a afirmação tinha um peso ao mesmo tempo bombástico, irônico e literal.

CINCO MÍDIAS MAIS PROMISSORAS PARA O FUTURO

Blogs e *podcasts*

Outernet

Celular

Rádio por satélite

TV digital

TRÊS *BLOGS* NACIONAIS QUE SÃO REFERÊNCIA

Blog do Noblat (noblat.estadao.com.br)

Ricardo Noblat é um jornalista que criou um dos mais populares *blogs* da internet no Brasil e não é por acaso: além da fluência inteligente de seu estilo, suas pautas estão sempre atualizadas com os assuntos políticos mais polêmicos e que conseguem despertar as reações mais imediatas e apaixonadas.

BlueBus (www.bluebus.com.br)

O *blog* que tantos publicitários acessam para se atualizar é composto por notas curtas e links nas áreas de mídia, propaganda, negócios e comportamento. Pode até ser considerado como um site – mas sua estrutura e a velocidade de sua atualização são típicas de qualquer *blog*.

Por um Punhado de Pixels (www.nemonox.com/ppp)

O *Por um Punhado de Pixels* já foi premiado pelo Deutsche Welle International Weblog Awards e já chegou a mais de 6.000 posts. Criado por Nemo Nox – que criou o primeiro *blog* na internet do Brasil e é responsável também por vários outros *blogs* de muita qualidade –, o *Por um Punhado de Pixels* traz comentários sobre variedades – TV, cinema, internet, literatura, quadrinhos – e seu reconhecimento mundial é bem merecido.

TRÊS *BLOGS* INTERNACIONAIS QUE SÃO REFERÊNCIA

I Want Media (www.iwantmedia.com)

Um *blog* muito bem estruturado e atento a todas as velozes e crescentes transformações da indústria da mídia, com a convergência constante de novas tecnologias. Seu criador, Patrick Philips, é jornalista, escritor e professor na Universidade de Nova York e conseguiu organizar um *blog* no qual qualquer comentário pessoal ou gratuitamente agressivo – como é tão comum em *blogs* ou sites sobre mídia – é sistematicamente descartado.

Davenetics (www.davenetics.com)

Blog do escritor Dave Pell que cobre essencialmente mídia, política e – como todo *blog* – virtualmente qualquer outro assunto. O que o torna especial é a qualidade de seu texto, sua arquitetura, sua abrangência e os links e *blogs* que sugere.

Boing Boing (www.boingboing.net)

O *blog* que vem se mantendo capaz de descobrir temas e pautar todos os outros *blogs*.

CINCO LOGOTIPOS MEMORÁVEIS NO MUNDO

Coca Cola

McDonald's

Apple

American Express

Volkswagen

CINCO *SLOGANS* QUE FIZERAM HISTÓRIA NO BRASIL

Não é nenhuma Brastemp (Brastemp)

Você conhece, você confia (Volkswagen)

Vende mais porque é fresquinho (Tostines)

Dedicação total a você (Casas Bahia)

Amo muito tudo isso (McDonald`s)

CINCO *SLOGANS* QUE FIZERAM HISTÓRIA NO MUNDO

A diamond is forever

(*Um diamante é para sempre*) (De Beers)

Think different

(*Pense diferente*) (Apple)

We try harder

(*Nós tentamos muito mais*) (Avis)

Just do it

(*É só fazer*) (Nike)

Think small

(*Pense pequeno*) (Volkswagen)

CINCO COMERCIAIS QUE SÃO REFERÊNCIA

1984 (*Apple*)

Um marco tanto em seu formato quanto no tema tratado – fazendo do Admirável Mundo Novo um argumento estratégico e lançando o conceito "think different", que revolucionou a forma de se considerar o segmento e se posicionar mesmo na vida prática.

Primeiro sutiã (*Valisère*)

O comercial que revelou uma maneira excepcionalmente poética e delicada de retratar a difícil, perturbadora passagem da infância para a adolescência, fazendo de seu produto um ícone, um símbolo e um emblema – embalado pela trilha final de Puccini e a inspiração na fotografia recontextualizada de David Hamilton.

A morte do orelhão (*Telesp*)

Um comercial que tratou de forma dramática e estilizada, como um documento de jornalismo em preto e branco, um assunto de tratamento quase impossível: a depredação dos orelhões nas ruas.

Wassup (*Budweiser*)

Boa parte dos comerciais se constrói sobre jargões – isto é, temas e ideias conhecidas; a Budweiser criou um filme que transformou um jargão justamente numa expressão nova.

Arqueologia (*Pepsi*)

Um roteiro absolutamente antológico dirigido pelo grande Joe Pytka. O filme mostra um arqueologista e seus estudantes no ano 3002 escavando relíquias na terra e encontrando uma guitarra, um taco de beisebol e uma garrafa de Coca-Cola coberta de lama. Assim que a garrafa é limpa com *laser*, um dos estudantes pergunta ao mestre, que é retratado com ares de um infalível erudito, o que era aquilo. 'Não tenho a menor ideia', responde o professor.

QUATRO EVENTOS DE PROMOÇÃO MEMORÁVEIS

Free Jazz Festival

Camarote Brahma

Vivo Open Air

Skol Beats

CINCO CONCEITOS MEMORÁVEIS

Sujar faz bem. (*Omo*)

Um conceito que inverte com perfeição um arquétipo clássico – a sujeira – tradicionalmente vinculado a todo tipo de impureza, da negligência ao pecado e o transforma num estímulo saudável para a criatividade, a invenção e uma infância mais saudável.

Não dá pra não ler. (*Folha de S.Paulo*)

Uma ideia inteligente, simples e de formulação muito corajosa – representando uma inversão da tradição que recomenda que nunca se use a palavra 'não' ou expressões negativas ou privativas no título.

51. Uma boa ideia. (*Caninha 51*)

Associando a ocasião de beber o produto a toda boa oportunidade, toda boa sugestão e todo bom convite, o conceito de 51 ganhou uma dimensão ao mesmo tempo muito popular, tornando-se quase que imediatamente um bordão, e muito estratégica, reposicionando a categoria de uma forma irresistível.

Existem coisas que o dinheiro não compra. (*Mastercard*)

Um conceito inovador: a criação de um serviço financeiro que anuncia justamente o intangível. O grande diferencial do produto, assim, está justamente em reconhecer e valorizar tudo o que está além de sua própria abrangência operacional.

Havaianas. Todo mundo usa. (*Havaianas*)

Atacando de forma lateral o preconceito que sofria o produto – por ser identificado como típico de uma faixa de poder aquisitivo mínimo –, o conceito 'todo mundo usa' pôde reverter de tal forma um dos grandes problemas de seu posicionamento que transformou a Havaianas num ícone moderno e, em algumas de suas edições, até num item de colecionador. Aqui e no mundo.

CINCO CAMPANHAS HISTÓRICAS

Não é nenhuma Brastemp. (*Brastemp*)

Sua força foi tamanha que, como toda grande ideia, seu tema acabou sendo incorporado como um jargão popular e recorrente. Talvez seja o único caso em que um comparativo não sofreu rejeição absolutamente nenhuma.

Nossos japoneses são melhores que os outros. (*Semp Toshiba*)

Uma forma brilhante de apresentar os diferenciais do produto.

1001 utilidades (*Bom Bril*)

A campanha está no livro dos recordes – e não é por acaso.

Boko Moko (*Antarctica*)

Uma forma divertida e inteligente de construir um personagem estratégico: o que não consumia o produto.

Cerveja número 1 (*Brahma*)

Uma campanha que surgiu do gesto dos próprios consumidores – e transformou um hábito numa ideia excepcionalmente eficiente.

CINCO *JINGLES* MEMORÁVEIS

U.S. Top

A ideia de que liberdade é uma calça velha, azul e desbotada foi muito criticada na época, mas até os que a criticavam não conseguiam tirar a música da cabeça.

Varig

Não importa há quanto tempo tenha sido criado, ainda é muito difícil encontrar quem não assobie ou conheça o Estrela Brasileira.

D. D. Drin

A festa toda descrita pela letra acabou se tornando quase folclórica – desde a pulguinha dançando iê-iê-iê até a barata que passa o dia todo 'a roer / a roer' –, mas é inegável que a melodia conseguiu transformar até o desenho animado do qual era trilha num clássico da propaganda. E de muita eficiência para a divulgação e a fixação da marca.

Casas Pernambucanas

'Não adianta bater', explicava uma dona de casa ao frio, 'eu não deixo você entrar'. O jingle das Casas Pernambucanas transformava seu produto quase num patrimônio doméstico que garantia o conforto e fazia do aconchego contra o inverno uma imagem da intimidade.

Banco Nacional

A música 'Quero ver você não chorar' havia sido criada originalmente pelo compositor Passarinho, dos Titulares do Ritmo, como uma melodia para o conjunto; com a possibilidade de transformá-la num *jingle* para o extinto Banco Nacional, Passarinho reescreveu a letra, adaptando-a para o período do Natal e assinando, assim, uma das peças musicais mais marcantes da publicidade no Brasil.

QUATRO GRANDES CAMPANHAS DE PROMOÇÃO

Mamíferos

(*Parmalat*)

Promoção 80 Casas

(*Nestlé*)

Mágico de Oz

(*Pão de Açúcar*)

Super Casas Bahia

(*Casas Bahia*)

TRÊS GRANDES CONCEITOS DE RESPONSABILIDADE SOCIAL

Quem vê cara não vê AIDS

Drogas? Tô fora!

Sou da paz

QUATRO CUIDADOS QUE TODO PROFISSIONAL QUE ESTÁ COMEÇANDO DEVE TOMAR

Ter certeza de que está atuando na área que é sua grande paixão.

Nunca perder o foco.

Ser determinado e nunca desistir diante de qualquer dificuldade.

Lembrar que uma boa visão do negócio sempre antecede uma boa realização.

TRÊS MAIORES CARACTERÍSTICAS DE TODA BOA AGÊNCIA

Desenvolver um trabalho pertinente, adequado e memorável para seus clientes.

Criar um ambiente de trabalho estimulante, priorizando a meritocracia e garantindo o bem-estar de seu maior patrimônio: seus funcionários.

Estabelecer uma relação de transparência com seus fornecedores.

QUATRO MAIORES CARACTERÍSTICAS DE TODO BOM NEGÓCIO

Ser lucrativo.

Ser bom para ambos os lados.

Ser conduzido com ética.

Ser capaz de propiciar resultados de longo prazo.

TRÊS FRASES QUE MARCARAM MEU DESENVOLVIMENTO PROFISSIONAL

Nada substitui a verdade.

Deus está nos detalhes.

O bom é inimigo do ótimo.

TRÊS MAIORES ORGULHOS PROFISSIONAIS

Iniciar uma carreira praticamente do nada e conseguir alcançar meus objetivos profissionais.

Conseguir redirecionar minha carreira aos 42 anos pelo lançamento do grupo Newcomm, que em apenas sete anos se tornou o maior grupo de comunicação publicitária do Brasil.

Fazer parte do grupo WPP, que é o maior grupo de comunicação publicitária do mundo.

TRÊS MOTIVOS PRINCIPAIS QUE ME FIZERAM APRESENTAR *O Aprendiz*

Mostrar quais qualidades são necessárias para ser contratado por uma grande empresa.

Passar um mínimo de informação não só relacionada à administração mas também à cultura geral – deixando claro, nas entrelinhas, o quanto estar bem informado é essencial para todo executivo.

Conduzir um programa no qual as qualidades de cada candidato eram testadas pela própria estrutura do formato, não só pelas provas (o telefonema do início, por exemplo, já os colocava sempre atentos para qualquer desafio inédito; o anúncio das tarefas punha em xeque a capacidade de cada um compreender corretamente o que era exigido; as provas punham sucessivamente em jogo capacidades empresariais específicas – administração, negócios, *marketing*, compra, venda, etc.; a revelação do resultado testava os limites individuais de aceitação de uma derrota – e a sala de reunião expunha a capacidade de cada um administrar pressões).

AS TRÊS LIÇÕES MAIS IMPORTANTES QUE EU APRENDI COM *O Aprendiz*

Que tudo é possível quando se tem vontade, determinação e principalmente humildade para começar uma nova carreira.

Que sempre existe muito para aprender nas relações entre as pessoas, pois *O Aprendiz* revelou-se um verdadeiro laboratório de experiências de relacionamento.

Que demitir pessoas nessa escala – mesmo quando a demissão é apenas simbólica – é muito mais difícil do que eu poderia imaginar.

OUTROS DADOS DE *O Aprendiz*

AS SEIS MELHORES *PERFORMANCES* INDIVIDUAIS DE *O Aprendiz*, EXCETUANDO-SE AS DOS VENCEDORES

Denis Peres
(*Aprendiz 1*)

Marcelo Menezes
(*Aprendiz 1*)

Ronaldo Gasparian
(*Aprendiz 1*)

Tatiana Arrais
(*Aprendiz 2*)

Jurandir Carvalho Júnior
(*Aprendiz 2*)

Evandro Banzato
(*Aprendiz 2*)

AS TRÊS REAÇÕES MAIS SURPREENDENTES DE *O Aprendiz*

A do Luiz Suplicy na primeira temporada de *O Aprendiz,* que – com seu estilo sempre surpreendente – acabou tomando a água da conselheira num momento de maior tensão, de forma quase inadvertida.

A da Stella Farhat e seu choro compulsivo em *O Aprendiz 2,* que emocionou a todos, mas acabou se tornando um fator que pesou muito contra ela na avaliação final de seu desempenho.

As diversas reações de Isabel Árias, que conseguia tanto se emocionar chorando durante uma demissão mais comovente quanto exultar durante uma contratação.

AS TRÊS PROVAS QUE EU CONSIDEREI MAIS DIFÍCEIS EM *O Aprendiz*

A do investimento financeiro, pela complexidade do tema – especialmente quando envolve pessoas que não são especializadas em aplicações, ações ou nos detalhes do mercado de investimentos.

A da administração pública, por tratar de um assunto muito sensível e que possui especificidades incomuns para o administrador com mais familiaridade com os problemas da iniciativa privada que com os da causa pública.

A do *merchandising* em TV, por exigir muitas habilidades também específicas que dificultaram muito o bom desempenho das equipes.

OS TRÊS MOMENTOS MAIS TENSOS DE *O Aprendiz*

A primeira sala de reunião da primeira temporada, quando me apresentei ao primeiro grupo de aprendizes e a todo o público brasileiro.

Durante o episódio da crise de saúde e da internação de uma das participantes de *O Aprendiz 1*, que acabou gerando um clima de comoção e preocupação em todos os envolvidos com o progama, dos candidatos à produção.

O momento da primeira contratação ao vivo, para todo o país, com a presença, inclusive, de público no teatro de onde o último episódio estava sendo transmitido.

OS TRÊS MOMENTOS MAIS FELIZES DE *O Aprendiz*

O momento das duas contratações no final de cada temporada.

O momento em que recebi a notícia da audiência do primeiro programa da primeira temporada, que já prenunciava o sucesso que viria a seguir.

A matéria veiculada pela TV americana registrando que *O Aprendiz* brasileiro era a adaptação de maior sucesso do programa no mundo todo fora dos Estados Unidos.

AS TRÊS DEMISSÕES MAIS DIFÍCEIS DE *O Aprendiz*

A da Célia, por ser a primeira de todas as demissões e por tratar-se de um momento que eu nunca tinha vivido antes (apesar de ser uma candidata muito promissora, a Célia acabou demitida por insistir em defender e justificar um erro que levou sua equipe à derrota).

A do Toni, que era unanimidade em relação à sua ética, seus bons princípios e sua decência e por ser também muito querido por mim e meus conselheiros.

A do Evandro, por tratar-se do candidato mais forte por suas características, mas também o mais difícil por seu temperamento.

TRÊS CUIDADOS QUE SEMPRE TIVE NA SALA DE REUNIÃO

Estar atento às mínimas reações e à *performance* dos candidatos numa situação de pressão.

Manter, apesar do nível de exigência, um grande respeito por cada um.

Ser sempre rigoroso sem nunca ser desumano.

TRÊS GRANDES DIFERENÇAS, PARA MIM, ENTRE A PRIMEIRA E A SEGUNDA TEMPORADA DE *O Aprendiz*

A facilidade de minha *performance*, motivada pela maior familiaridade com o formato e o meio.

O desempenho de toda a equipe de produção.

A qualidade das provas, que melhoraram muito.

Eu sempre preferi seguir construindo.

CONSTRUINDO UMA VIDA
foi impresso em São Paulo/SP pela *RR Donnelley*
para a Larousse do Brasil, em janeiro de 2009.